개념 × 연산은
연산 집중 연습을 통해
개념을 완성시키는
솔루션입니다.

연구진

이동환_ 부산교육대학교 교수
이상욱_ 풍산자수학연구소 책임연구원

집필진

강연주_ 상도 뉴스터디, 풍산자수학연구소 연구위원
김규상_ 광명 더옳은수학, 풍산자수학연구소 연구위원
김명중_ 상도 뉴스터디, 풍산자수학연구소 연구위원
설성환_ 광명 더옳은수학, 풍산자수학연구소 연구위원
이지은_ 부산 하이매쓰, 풍산자수학연구소 연구위원
윤형은_ 상도 뉴스터디, 풍산자수학연구소 연구위원

교과서 속 **연산**을 빠르게!

풍산자

개념 × 연산

초등 **수학** 4-2

구성과 특징

개념 이해

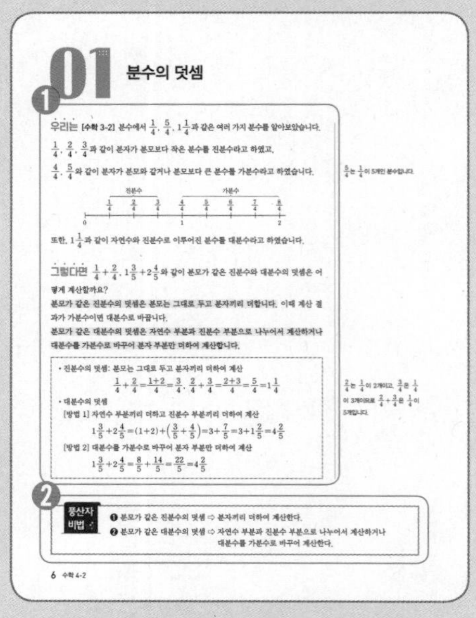

❶ 이미 배운 내용으로 앞으로 배울 내용을 자연스럽게 연계한 개념학습으로 읽으면서 이해할 수 있도록 개념을 설명했어요.

❷ 읽으면서 이해한 개념을 풍산자만의 비법으로 한눈에 정리할 수 있도록 하였습니다.

3단계 문제 해결

1단계 예제 따라 풀어보는 연산

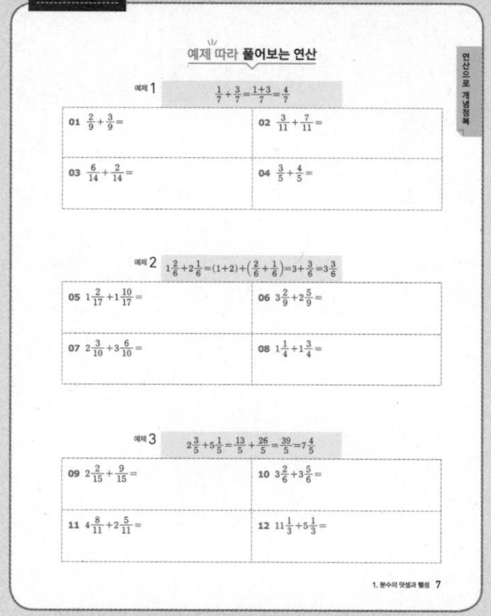

개념과 관련된 대표 연산 문제를 풀어보며 배운 개념을 문제에 적용해요.

2단계 스스로 풀어보는 연산

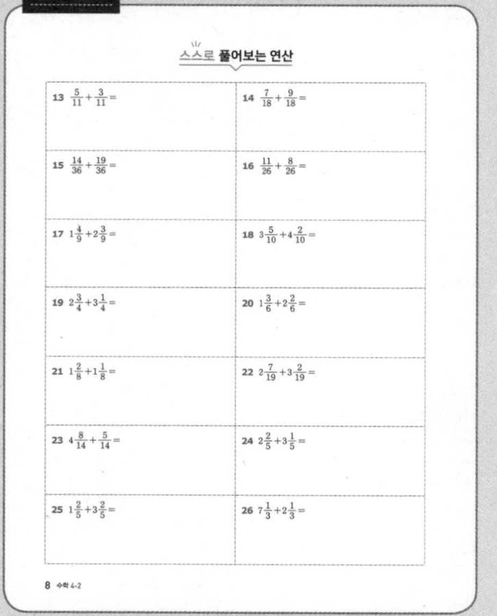

이제는 스스로 문제를 풀어볼까요? 개념을 잘 익혔는지 확인해 봅시다.

초등 풍산자
개념×연산의
포인트

1 읽으면서 이해되는 개념
이미 학습한 개념을 바탕으로 앞으로 배울 개념을 자연스럽게 배웁니다.

2 꼭 필요한 핵심 개념 수록
교과서 단원을 재구성한 핵심 개념으로 수학을 가장 빠르고 쉽게 익힙니다.

3 학습에 가장 효율적인 3단계 문제
연산의 3단계 문제 구성으로 수학 실력이 단계적으로 상승합니다.

3단계 응용 연산

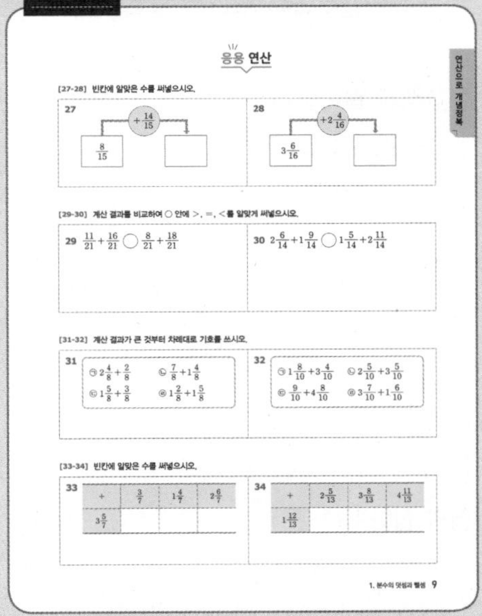

응용 연산 문제까지 풀어보며 개념을 완벽하게 완성해요.

특별한 단계

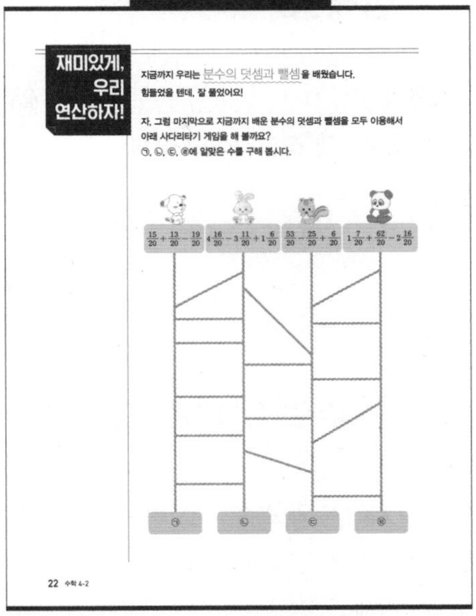

단원별로 배운 내용을 모두 이용해서 재미있는 연산 문제를 해결해 보세요.

차례

1

분수의 덧셈과 뺄셈

공부할 내용	공부한 날
01 분수의 덧셈	월 일
02 분수의 뺄셈 (1)	월 일
03 분수의 뺄셈 (2)	월 일
04 분수의 뺄셈 (3)	월 일

01 분수의 덧셈

우리는 [수학 3-2] 분수에서 $\frac{1}{4}$, $\frac{5}{4}$, $1\frac{1}{4}$과 같은 여러 가지 분수를 알아보았습니다.

$\frac{1}{4}$, $\frac{2}{4}$, $\frac{3}{4}$과 같이 분자가 분모보다 작은 분수를 진분수라고 하였고,

$\frac{4}{4}$, $\frac{5}{4}$와 같이 분자가 분모와 같거나 분모보다 큰 분수를 가분수라고 하였습니다.

$\frac{5}{4}$는 $\frac{1}{4}$이 5개인 분수입니다.

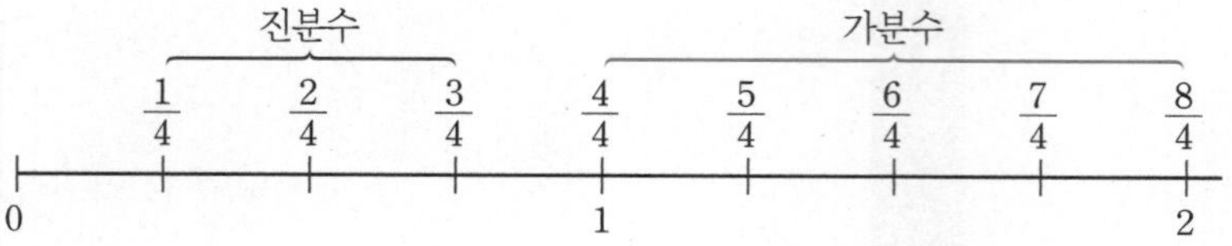

또한, $1\frac{1}{4}$과 같이 자연수와 진분수로 이루어진 분수를 대분수라고 하였습니다.

그렇다면 $\frac{1}{4}+\frac{2}{4}$, $1\frac{3}{5}+2\frac{4}{5}$와 같이 분모가 같은 진분수와 대분수의 덧셈은 어떻게 계산할까요?

분모가 같은 진분수의 덧셈은 분모는 그대로 두고 분자끼리 더합니다. 이때 계산 결과가 가분수이면 대분수로 바꿉니다.

분모가 같은 대분수의 덧셈은 자연수 부분과 진분수 부분으로 나누어서 계산하거나 대분수를 가분수로 바꾸어 분자 부분만 더하여 계산합니다.

- 진분수의 덧셈: 분모는 그대로 두고 분자끼리 더하여 계산

$$\frac{1}{4}+\frac{2}{4}=\frac{1+2}{4}=\frac{3}{4},\ \frac{2}{4}+\frac{3}{4}=\frac{2+3}{4}=\frac{5}{4}=1\frac{1}{4}$$

- 대분수의 덧셈

[방법 1] 자연수 부분끼리 더하고 진분수 부분끼리 더하여 계산

$$1\frac{3}{5}+2\frac{4}{5}=(1+2)+\left(\frac{3}{5}+\frac{4}{5}\right)=3+\frac{7}{5}=3+1\frac{2}{5}=4\frac{2}{5}$$

[방법 2] 대분수를 가분수로 바꾸어 분자 부분만 더하여 계산

$$1\frac{3}{5}+2\frac{4}{5}=\frac{8}{5}+\frac{14}{5}=\frac{22}{5}=4\frac{2}{5}$$

$\frac{2}{4}$는 $\frac{1}{4}$이 2개이고, $\frac{3}{4}$은 $\frac{1}{4}$이 3개이므로 $\frac{2}{4}+\frac{3}{4}$은 $\frac{1}{4}$이 5개입니다.

풍산자 비법

❶ 분모가 같은 진분수의 덧셈 ⇨ 분자끼리 더하여 계산한다.

❷ 분모가 같은 대분수의 덧셈 ⇨ 자연수 부분과 진분수 부분으로 나누어서 계산하거나 대분수를 가분수로 바꾸어 계산한다.

예제 따라 풀어보는 연산

예제 1 $\frac{1}{7}+\frac{3}{7}=\frac{1+3}{7}=\frac{4}{7}$

01 $\frac{2}{9}+\frac{3}{9}=$	**02** $\frac{3}{11}+\frac{7}{11}=$
03 $\frac{6}{14}+\frac{2}{14}=$	**04** $\frac{3}{5}+\frac{4}{5}=$

예제 2 $1\frac{2}{6}+2\frac{1}{6}=(1+2)+\left(\frac{2}{6}+\frac{1}{6}\right)=3+\frac{3}{6}=3\frac{3}{6}$

05 $1\frac{2}{17}+1\frac{10}{17}=$	**06** $3\frac{2}{9}+2\frac{5}{9}=$
07 $2\frac{3}{10}+3\frac{6}{10}=$	**08** $1\frac{1}{4}+1\frac{3}{4}=$

예제 3 $2\frac{3}{5}+5\frac{1}{5}=\frac{13}{5}+\frac{26}{5}=\frac{39}{5}=7\frac{4}{5}$

09 $2\frac{2}{15}+\frac{9}{15}=$	**10** $3\frac{2}{6}+3\frac{5}{6}=$
11 $4\frac{8}{11}+2\frac{5}{11}=$	**12** $11\frac{1}{3}+5\frac{1}{3}=$

스스로 풀어보는 연산

13 $\frac{5}{11}+\frac{3}{11}=$	**14** $\frac{7}{18}+\frac{9}{18}=$
15 $\frac{14}{36}+\frac{19}{36}=$	**16** $\frac{11}{26}+\frac{8}{26}=$
17 $1\frac{4}{9}+2\frac{3}{9}=$	**18** $3\frac{5}{10}+4\frac{2}{10}=$
19 $2\frac{3}{4}+3\frac{1}{4}=$	**20** $1\frac{3}{6}+2\frac{2}{6}=$
21 $1\frac{2}{8}+1\frac{1}{8}=$	**22** $2\frac{7}{19}+3\frac{2}{19}=$
23 $4\frac{8}{14}+\frac{5}{14}=$	**24** $2\frac{2}{5}+3\frac{1}{5}=$
25 $1\frac{2}{5}+3\frac{2}{5}=$	**26** $7\frac{1}{3}+2\frac{1}{3}=$

응용 연산

[27-28] 빈칸에 알맞은 수를 써넣으시오.

27 $\frac{8}{15}$ → $+\frac{14}{15}$ → □

28 $3\frac{6}{16}$ → $+2\frac{4}{16}$ → □

[29-30] 계산 결과를 비교하여 ○ 안에 >, =, <를 알맞게 써넣으시오.

29 $\frac{11}{21}+\frac{16}{21}$ ○ $\frac{8}{21}+\frac{18}{21}$

30 $2\frac{6}{14}+1\frac{9}{14}$ ○ $1\frac{5}{14}+2\frac{11}{14}$

[31-32] 계산 결과가 큰 것부터 차례대로 기호를 쓰시오.

31

㉠ $2\frac{4}{8}+\frac{2}{8}$　㉡ $\frac{7}{8}+1\frac{4}{8}$

㉢ $1\frac{5}{8}+\frac{3}{8}$　㉣ $1\frac{2}{8}+1\frac{5}{8}$

32

㉠ $1\frac{8}{10}+3\frac{4}{10}$　㉡ $2\frac{5}{10}+3\frac{5}{10}$

㉢ $\frac{9}{10}+4\frac{8}{10}$　㉣ $3\frac{7}{10}+1\frac{6}{10}$

[33-34] 빈칸에 알맞은 수를 써넣으시오.

33

+	$\frac{3}{7}$	$1\frac{4}{7}$	$2\frac{6}{7}$
$3\frac{5}{7}$			

34

+	$2\frac{5}{13}$	$3\frac{8}{13}$	$4\frac{11}{13}$
$1\frac{12}{13}$			

02 분수의 뺄셈 (1)

우리는 앞 단원에서 $\frac{3}{5}+\frac{4}{5}$, $2\frac{3}{4}+1\frac{2}{4}$와 같이 분모가 같은 진분수와 대분수의 덧셈 방법을 알아보았습니다.

분모가 같은 진분수의 덧셈은 분모는 그대로 두고 분자끼리 더하여 계산하고, 분모가 같은 대분수의 덧셈은 자연수 부분과 진분수 부분으로 나누어서 계산하거나 대분수를 가분수로 바꾸어 분자 부분만 더하여 다음과 같이 계산하였습니다.

- 진분수의 덧셈: $\frac{3}{5}+\frac{4}{5}=\frac{3+4}{5}=\frac{7}{5}=1\frac{2}{5}$
- 대분수의 덧셈: $2\frac{3}{4}+1\frac{2}{4}=(2+1)+\left(\frac{3}{4}+\frac{2}{4}\right)=3+\frac{5}{4}=3+1\frac{1}{4}=4\frac{1}{4}$

  $2\frac{3}{4}+1\frac{2}{4}=\frac{11}{4}+\frac{6}{4}=\frac{17}{4}=4\frac{1}{4}$

계산 결과가 가분수이면 대분수로 바꿉니다.

그렇다면 $\frac{3}{4}-\frac{2}{4}$, $2\frac{4}{5}-1\frac{2}{5}$와 같이 분모가 같은 진분수와 대분수의 뺄셈은 어떻게 계산할까요?

분모가 같은 진분수의 뺄셈은 분모는 그대로 두고 분자끼리 뺍니다.

분모가 같은 대분수의 뺄셈은 자연수 부분과 진분수 부분으로 나누어서 계산하거나 대분수를 가분수로 바꾸어 분자 부분만 빼서 계산합니다.

- 진분수의 뺄셈: 분모는 그대로 두고 분자끼리 빼서 계산

  $\frac{3}{4}-\frac{2}{4}=\frac{3-2}{4}=\frac{1}{4}$
- 대분수의 뺄셈

  [방법 1] 자연수 부분끼리 빼고 진분수 부분끼리 빼서 계산

  $2\frac{4}{5}-1\frac{2}{5}=(2-1)+\left(\frac{4}{5}-\frac{2}{5}\right)=1+\frac{2}{5}=1\frac{2}{5}$

  [방법 2] 대분수를 가분수로 바꾸어 분자 부분만 빼서 계산

  $2\frac{4}{5}-1\frac{2}{5}=\frac{14}{5}-\frac{7}{5}=\frac{7}{5}=1\frac{2}{5}$

$\frac{3}{4}$은 $\frac{1}{4}$이 3개, $\frac{2}{4}$는 $\frac{1}{4}$이 2개이므로 $\frac{3}{4}-\frac{2}{4}$는 $\frac{1}{4}$이 1개입니다.

풍산자 비법

❶ 분모가 같은 진분수의 뺄셈 ⇨ 분자끼리 빼서 계산한다.

❷ 분모가 같은 대분수의 뺄셈 ⇨ 자연수 부분과 진분수 부분으로 나누어서 계산하거나 대분수를 가분수로 바꾸어 계산한다.

예제 따라 풀어보는 연산

예제 1 $\frac{8}{10}-\frac{7}{10}=\frac{8-7}{10}=\frac{1}{10}$

01 $\frac{4}{5}-\frac{2}{5}=$	**02** $\frac{4}{7}-\frac{1}{7}=$
03 $\frac{10}{11}-\frac{7}{11}=$	**04** $\frac{4}{21}-\frac{2}{21}=$

예제 2 $2\frac{4}{5}-1\frac{3}{5}=(2-1)+\left(\frac{4}{5}-\frac{3}{5}\right)=1+\frac{1}{5}=1\frac{1}{5}$

05 $3\frac{4}{14}-1\frac{1}{14}=$	**06** $1\frac{2}{6}-1\frac{1}{6}=$
07 $3\frac{5}{18}-\frac{2}{18}=$	**08** $5\frac{19}{31}-2\frac{19}{31}=$

예제 3 $3\frac{5}{6}-2\frac{4}{6}=\frac{23}{6}-\frac{16}{6}=\frac{7}{6}=1\frac{1}{6}$

09 $2\frac{2}{7}-1\frac{1}{7}=$	**10** $3\frac{9}{10}-1\frac{7}{10}=$
11 $4\frac{3}{8}-1\frac{1}{8}=$	**12** $1\frac{12}{13}-\frac{10}{13}=$

스스로 풀어보는 연산

13 $\frac{11}{12}-\frac{3}{12}=$	14 $\frac{25}{27}-\frac{19}{27}=$
15 $\frac{11}{20}-\frac{4}{20}=$	16 $\frac{15}{18}-\frac{8}{18}=$
17 $3\frac{18}{31}-\frac{11}{31}=$	18 $7\frac{13}{20}-3\frac{9}{20}=$
19 $2\frac{5}{9}-1\frac{1}{9}=$	20 $3\frac{5}{11}-2\frac{3}{11}=$
21 $1\frac{14}{30}-1\frac{7}{30}=$	22 $3\frac{8}{14}-1\frac{3}{14}=$
23 $1\frac{8}{19}-\frac{6}{19}=$	24 $4\frac{21}{40}-3\frac{11}{40}=$
25 $7\frac{3}{4}-2\frac{2}{4}=$	26 $5\frac{2}{8}-3\frac{1}{8}=$

응용 연산

[27-28] 빈칸에 알맞은 수를 써넣으시오.

27 $2\frac{7}{10}$ → $-\frac{5}{10}$ → □

28 $6\frac{19}{26}$ → $-2\frac{10}{26}$ → □

[29-30] 계산 결과를 비교하여 ○ 안에 >, =, <를 알맞게 써넣으시오.

29 $5\frac{9}{18}-2\frac{4}{18}$ ○ $3\frac{8}{18}-\frac{3}{18}$

30 $4\frac{5}{9}-2\frac{1}{9}$ ○ $6\frac{7}{9}-3\frac{5}{9}$

[31-32] 계산 결과가 작은 것부터 차례대로 기호를 쓰시오.

31

㉠ $2\frac{3}{10}-\frac{2}{10}$ ㉡ $5\frac{4}{10}-2\frac{1}{10}$

㉢ $4\frac{6}{10}-2\frac{3}{10}$ ㉣ $3\frac{9}{10}-1\frac{3}{10}$

32

㉠ $7\frac{10}{15}-3\frac{8}{15}$ ㉡ $4\frac{4}{15}-1\frac{2}{15}$

㉢ $5\frac{11}{15}-2\frac{6}{15}$ ㉣ $6\frac{14}{15}-\frac{9}{15}$

[33-34] 가장 큰 수와 가장 작은 수의 차를 구하시오.

33

$1\frac{4}{7}$ $2\frac{1}{7}$ $1\frac{1}{7}$

34

$3\frac{16}{19}$ $2\frac{3}{19}$ $2\frac{7}{19}$

03 분수의 뺄셈 (2)

우리는 앞 단원에서 $\frac{4}{5}-\frac{3}{5}$, $2\frac{3}{4}-1\frac{2}{4}$와 같이 분모가 같은 진분수와 대분수의 뺄셈 방법을 알아보았습니다.

분모가 같은 진분수의 뺄셈은 분모는 그대로 두고 분자끼리 빼서 계산하고, 분모가 같은 대분수의 뺄셈은 자연수 부분과 진분수 부분으로 나누어서 계산하거나 대분수를 가분수로 바꾸어 분자 부분만 빼서 계산하였습니다.

- 진분수의 뺄셈: $\frac{4}{5}-\frac{3}{5}=\frac{4-3}{5}=\frac{1}{5}$
- 대분수의 뺄셈: $2\frac{3}{4}-1\frac{2}{4}=(2-1)+\left(\frac{3}{4}-\frac{2}{4}\right)=1+\frac{1}{4}=1\frac{1}{4}$

$2\frac{3}{4}-1\frac{2}{4}=\frac{11}{4}-\frac{6}{4}$
$=\frac{5}{4}=1\frac{1}{4}$

그렇다면 $1-\frac{1}{4}$, $3-1\frac{2}{5}$와 같은 (자연수)−(분수)는 어떻게 계산할까요?

$1-\frac{1}{4}$과 같은 1−(분수)는 1을 $\frac{\blacktriangle}{\blacktriangle}$로 바꾸어 분모는 그대로 두고 분자끼리 뺍니다.

$3-1\frac{2}{5}$와 같은 (자연수)−(분수)는 자연수에서 1만큼을 $\frac{\blacktriangle}{\blacktriangle}$로 바꾸어 계산하거나 두 수를 모두 가분수로 바꾸어 분자 부분만 빼서 계산합니다.

- 1−(분수): 1을 $\frac{\blacktriangle}{\blacktriangle}$로 바꾸어 분모는 그대로 두고 분자끼리 빼서 계산

  $1-\frac{1}{4}=\frac{4}{4}-\frac{1}{4}=\frac{4-1}{4}=\frac{3}{4}$
- (자연수)−(분수)

  [방법 1] 자연수에서 1만큼을 $\frac{\blacktriangle}{\blacktriangle}$로 바꾸어 계산

  $3-1\frac{2}{5}=2\frac{5}{5}-1\frac{2}{5}=(2-1)+\left(\frac{5}{5}-\frac{2}{5}\right)=1+\frac{3}{5}=1\frac{3}{5}$

  [방법 2] 두 수를 가분수로 바꾸어 분자 부분만 빼서 계산

  $3-1\frac{2}{5}=\frac{15}{5}-\frac{7}{5}=\frac{8}{5}=1\frac{3}{5}$

$1=\frac{2}{2}=\frac{3}{3}=\frac{4}{4}=\cdots\cdots$

$3=2+1=2+\frac{5}{5}$

풍산자 비법

(자연수)−(분수) ⇨ 자연수에서 1만큼을 $\frac{\blacktriangle}{\blacktriangle}$로 바꾸어 계산하거나
두 수를 모두 가분수로 바꾸어 분자 부분만 빼서 계산한다.

예제 따라 풀어보는 연산

예제 1 $1-\frac{2}{5}=\frac{5}{5}-\frac{2}{5}=\frac{5-2}{5}=\frac{3}{5}$

01 $1-\frac{7}{10}=$	**02** $1-\frac{5}{9}=$
03 $1-\frac{5}{6}=$	**04** $1-\frac{2}{13}=$

예제 2 $4-2\frac{3}{5}=3\frac{5}{5}-2\frac{3}{5}=(3-2)+\left(\frac{5}{5}-\frac{3}{5}\right)=1+\frac{2}{5}=1\frac{2}{5}$

05 $4-1\frac{1}{9}=$	**06** $2-1\frac{3}{8}=$
07 $7-5\frac{11}{15}=$	**08** $5-3\frac{7}{12}=$

예제 3 $3-2\frac{1}{3}=\frac{9}{3}-\frac{7}{3}=\frac{2}{3}$

09 $3-2\frac{2}{4}=$	**10** $4-1\frac{10}{11}=$
11 $6-3\frac{4}{7}=$	**12** $5-3\frac{1}{12}=$

스스로 풀어보는 연산

13 $1-\frac{4}{8}=$	**14** $1-\frac{7}{14}=$
15 $1-\frac{2}{11}=$	**16** $1-\frac{10}{16}=$
17 $6-\frac{19}{30}=$	**18** $3-\frac{21}{29}=$
19 $4-\frac{16}{59}=$	**20** $2-\frac{12}{13}=$
21 $2-1\frac{2}{6}=$	**22** $4-1\frac{12}{23}=$
23 $7-4\frac{6}{33}=$	**24** $4-2\frac{24}{25}=$
25 $12-9\frac{3}{5}=$	**26** $4-3\frac{11}{20}=$

응용 연산

[27-28] 빈칸에 알맞은 수를 써넣으시오.

27 $3 \rightarrow \boxed{-\frac{3}{6}} \rightarrow \square$

28 $6 \rightarrow \boxed{-4\frac{6}{17}} \rightarrow \square$

[29-30] 계산 결과가 더 큰 식에 ○표 하시오.

29 $5-3\frac{7}{12}$ (   ) $4-1\frac{9}{12}$ (   )

30 $3-1\frac{9}{21}$ (   ) $2-\frac{11}{21}$ (   )

[31-32] 계산 결과가 작은 것부터 차례대로 기호를 쓰시오.

31

㉠ $3-1\frac{5}{16}$ ㉡ $7-4\frac{13}{16}$

㉢ $2-1\frac{1}{16}$ ㉣ $5-3\frac{6}{16}$

32

㉠ $10-5\frac{21}{24}$ ㉡ $5-1\frac{17}{24}$

㉢ $7-3\frac{8}{24}$ ㉣ $6-1\frac{10}{24}$

[33-34] 계산 결과를 찾아 이어 보시오.

33

$4-2\frac{3}{7}$ •	• $1\frac{1}{7}$
$5-1\frac{2}{7}$ •	• $1\frac{4}{7}$
$4-2\frac{6}{7}$ •	• $3\frac{5}{7}$

34

$3-1\frac{11}{31}$ •	• $1\frac{20}{31}$
$6-4\frac{19}{31}$ •	• $1\frac{4}{31}$
$2-\frac{27}{31}$ •	• $1\frac{12}{31}$

04 분수의 뺄셈 (3)

우리는 앞 단원에서 $4-2\frac{2}{3}$와 같은 (자연수)−(분수)를 계산하는 방법을 알아보았습니다.

(자연수)−(분수)는 자연수에서 1만큼을 $\frac{\blacktriangle}{\blacktriangle}$로 바꾸어 계산하거나 두 수를 모두 가분수로 바꾸어 분자 부분만 빼서 다음과 같이 계산하였습니다.

> [방법 1] 자연수에서 1만큼을 $\frac{\blacktriangle}{\blacktriangle}$로 바꾸어 계산
>
> $$4-2\frac{2}{3}=3\frac{3}{3}-2\frac{2}{3}=(3-2)+\left(\frac{3}{3}-\frac{2}{3}\right)=1+\frac{1}{3}=1\frac{1}{3}$$
>
> [방법 2] 두 수를 가분수로 바꾸어 분자 부분만 빼서 계산
>
> $$4-2\frac{2}{3}=\frac{12}{3}-\frac{8}{3}=\frac{4}{3}=1\frac{1}{3}$$

그렇다면 $3\frac{2}{5}-1\frac{4}{5}$와 같이 진분수 부분끼리 뺄 수 없는 (대분수)−(대분수)는 어떻게 계산할까요?

진분수 부분끼리 뺄 수 없는 (대분수)−(대분수)는 빼어지는 분수의 자연수에서 1만큼을 분수로 바꾸어 자연수 부분끼리, 분수 부분끼리 계산하거나 대분수를 가분수로 바꾸어 분자 부분만 빼서 계산합니다.

> [방법 1] 자연수에서 1만큼을 분수로 바꾸어 계산
>
> $$3\frac{2}{5}-1\frac{4}{5}=2\frac{7}{5}-1\frac{4}{5}=(2-1)+\left(\frac{7}{5}-\frac{4}{5}\right)=1+\frac{3}{5}=1\frac{3}{5}$$
>
> [방법 2] 대분수를 가분수로 바꾸어 분자 부분만 빼서 계산
>
> $$3\frac{2}{5}-1\frac{4}{5}=\frac{17}{5}-\frac{9}{5}=\frac{8}{5}=1\frac{3}{5}$$

$3\frac{2}{5}$는 $\frac{1}{5}$이 17개, $1\frac{4}{5}$는 $\frac{1}{5}$이 9개이므로 $3\frac{2}{5}-1\frac{4}{5}$는 $\frac{1}{5}$이 8개입니다.

> **풍산자 비법**
>
> 진분수 부분끼리 뺄 수 없는 (대분수)−(대분수)
>
> ⇨ 자연수에서 1만큼을 분수로 바꾸어 계산하거나 대분수를 가분수로 바꾸어 계산한다.

예제 따라 풀어보는 연산

예제 1 $3\frac{8}{18}-2\frac{10}{18}=2\frac{26}{18}-2\frac{10}{18}=(2-2)+\left(\frac{26}{18}-\frac{10}{18}\right)=\frac{16}{18}$

01 $2\frac{1}{3}-1\frac{2}{3}=$	**02** $3\frac{1}{5}-1\frac{3}{5}=$
03 $4\frac{4}{9}-2\frac{8}{9}=$	**04** $6\frac{4}{6}-2\frac{5}{6}=$
05 $7\frac{5}{10}-3\frac{9}{10}=$	**06** $5\frac{3}{8}-4\frac{6}{8}=$

예제 2 $2\frac{1}{4}-1\frac{3}{4}=\frac{9}{4}-\frac{7}{4}=\frac{2}{4}$

07 $2\frac{3}{10}-1\frac{9}{10}=$	**08** $6\frac{1}{8}-4\frac{5}{8}=$
09 $4\frac{4}{7}-1\frac{6}{7}=$	**10** $3\frac{2}{11}-1\frac{9}{11}=$
11 $6\frac{1}{3}-2\frac{2}{3}=$	**12** $4\frac{3}{8}-3\frac{4}{8}=$

스스로 풀어보는 연산

13 $4\frac{2}{14}-3\frac{3}{14}=$	**14** $2\frac{6}{9}-1\frac{7}{9}=$
15 $3\frac{2}{6}-1\frac{5}{6}=$	**16** $5\frac{3}{18}-3\frac{6}{18}=$
17 $1\frac{5}{11}-\frac{10}{11}=$	**18** $8\frac{2}{20}-5\frac{13}{20}=$
19 $5\frac{1}{3}-4\frac{2}{3}=$	**20** $4\frac{8}{17}-2\frac{14}{17}=$
21 $4\frac{2}{7}-\frac{26}{7}=$	**22** $2\frac{1}{5}-\frac{4}{5}=$
23 $7\frac{1}{4}-\frac{14}{4}=$	**24** $8\frac{2}{6}-\frac{41}{6}=$
25 $3\frac{3}{25}-\frac{49}{25}=$	**26** $2\frac{4}{31}-\frac{46}{31}=$

응용 연산

[27-28] 빈칸에 알맞은 수를 써넣으시오.

27

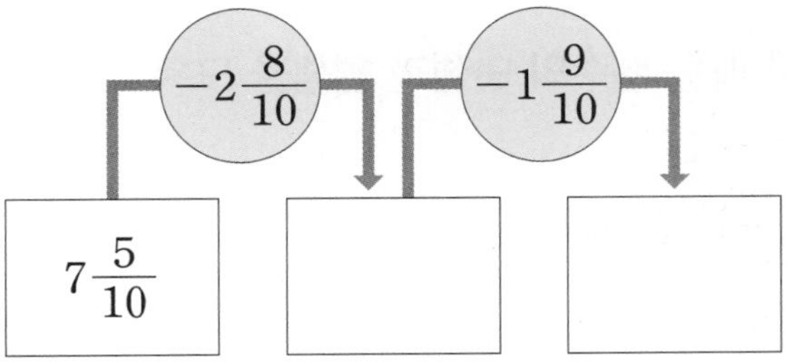

28

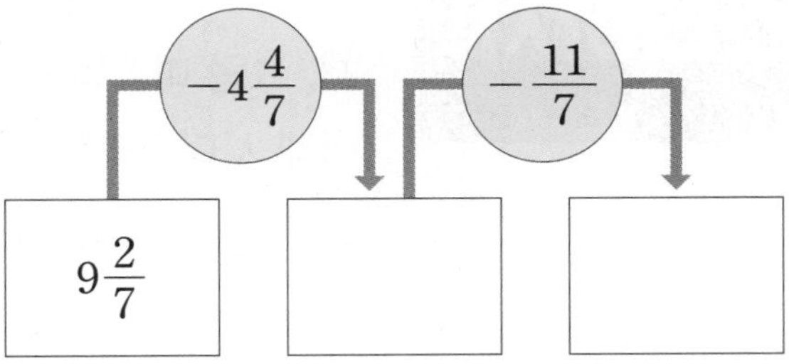

[29-30] 계산 결과를 비교하여 ○ 안에 $>$, $=$, $<$를 알맞게 써넣으시오.

29 $3\frac{2}{12}-1\frac{11}{12}$ ○ $5\frac{5}{12}-3\frac{7}{12}$

30 $3\frac{4}{13}-\frac{31}{13}$ ○ $2\frac{2}{13}-\frac{12}{13}$

[31-32] 계산 결과를 찾아 이어 보시오.

31

$3\frac{2}{5}-2\frac{3}{5}$ •	• 1
$4\frac{1}{5}-3\frac{4}{5}$ •	• $\frac{2}{5}$
$7\frac{1}{5}-6\frac{1}{5}$ •	• $\frac{4}{5}$

32

$6\frac{2}{9}-\frac{41}{9}$ •	• $1\frac{1}{9}$
$4\frac{5}{9}-\frac{31}{9}$ •	• $1\frac{6}{9}$
$5\frac{1}{9}-\frac{29}{9}$ •	• $1\frac{8}{9}$

[33-34] □ 안에 들어갈 수 있는 가장 작은 자연수를 구하시오.

33 $\frac{27}{21}-\frac{\square}{21}<1$

34 $2\frac{4}{8}-\frac{\square}{8}<2$

재미있게, 우리 연산하자!

지금까지 우리는 분수의 덧셈과 뺄셈을 배웠습니다.

힘들었을 텐데, 잘 풀었어요!

자, 그럼 마지막으로 지금까지 배운 분수의 덧셈과 뺄셈을 모두 이용해서 아래 사다리타기 게임을 해 볼까요?

㉠, ㉡, ㉢, ㉣에 알맞은 수를 구해 봅시다.

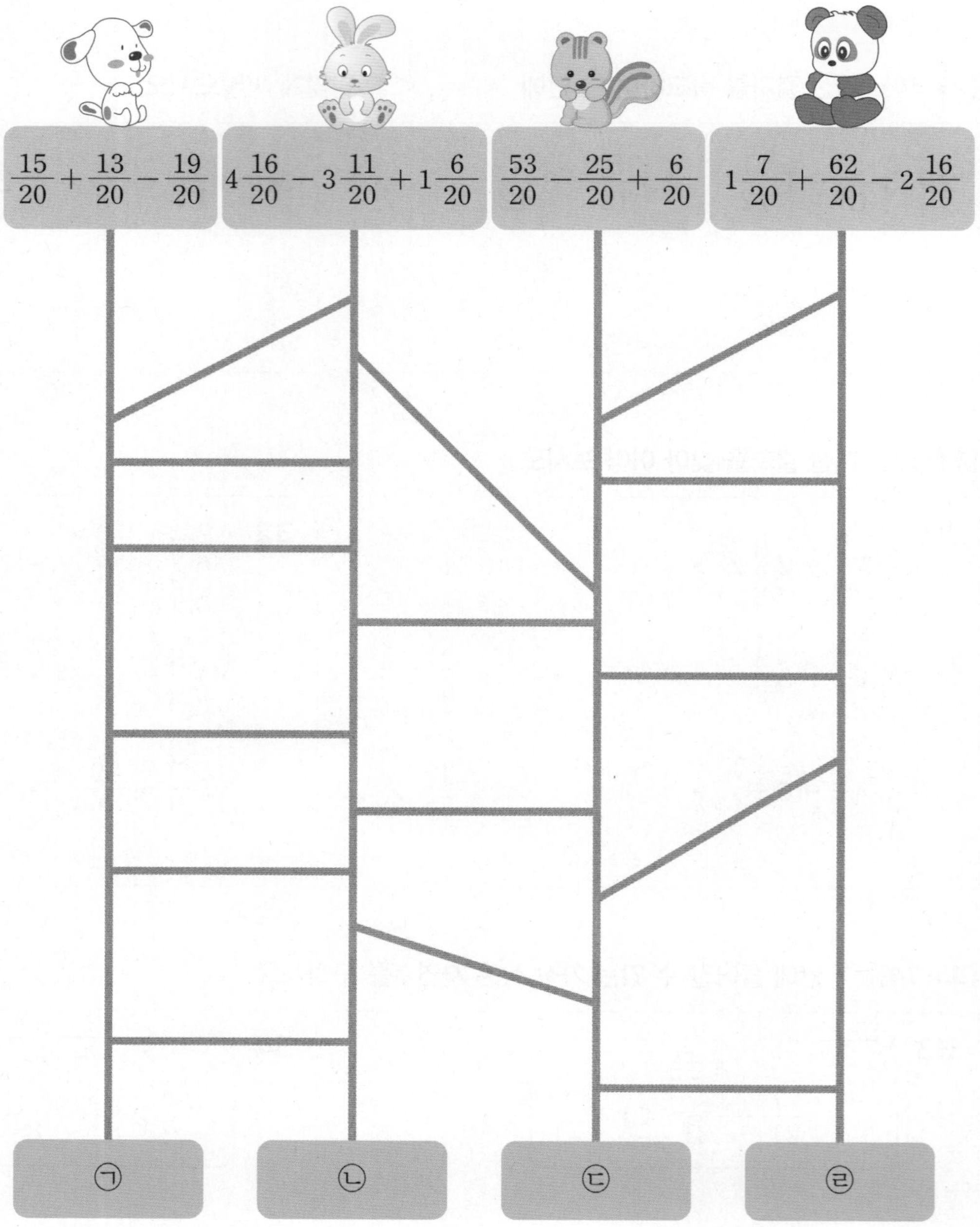

2

삼각형

공부할 내용	공부한 날
05 삼각형의 분류 (1)	월 일
05 이등변삼각형과 정삼각형의 성질	월 일
07 삼각형의 분류 (2)	월 일

05 삼각형의 분류 (1)

우리는 **[수학 2-1]** 여러 가지 도형에서 삼각형을, **[수학 3-1]** 평면도형에서 직각삼각형을 알아보았습니다.

변이 3개, 꼭짓점이 3개이고 곧은 선으로 둘러싸여 있는 도형을 삼각형이라고 하였고, 한 각이 직각인 삼각형을 직각삼각형이라고 하였습니다.

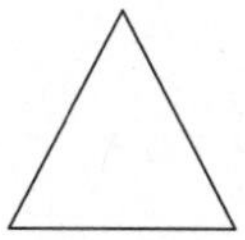

삼각형

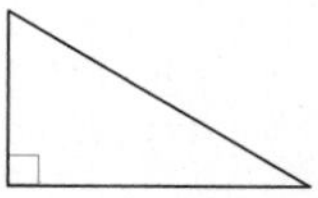

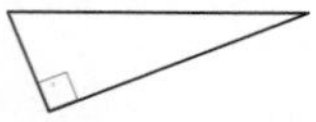

직각삼각형

그렇다면 삼각형을 변의 길이에 따라 어떻게 분류할까요?

여러 가지 삼각형을 살펴보면 두 변의 길이가 같은 삼각형도 있고, 세 변의 길이가 같은 삼각형도 있으며, 세 변의 길이가 모두 다른 삼각형도 있습니다.

이때 두 변의 길이가 같은 삼각형을 **이등변삼각형**이라고 하고, 세 변의 길이가 같은 삼각형을 **정삼각형**이라고 합니다.

정삼각형도 두 변의 길이가 같기 때문에 이등변삼각형입니다. 하지만 이등변삼각형은 항상 세 변의 길이가 같지는 않으므로 정삼각형이 아닙니다.

[이등변삼각형]

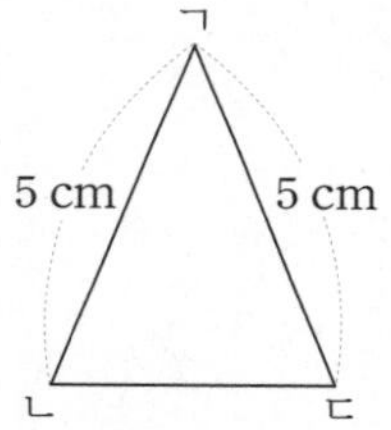

(변 ㄱㄴ)=(변 ㄱㄷ)

[정삼각형]

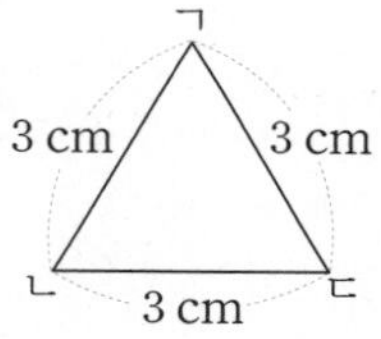

(변 ㄱㄴ)=(변 ㄴㄷ)=(변 ㄱㄷ)

풍산자 비법

❶ 이등변삼각형 ⇨ 두 변의 길이가 같은 삼각형

❷ 정삼각형 ⇨ 세 변의 길이가 같은 삼각형

예제 따라 풀어보는 연산

예제 1 삼각형을 변의 길이에 따라 분류하시오.

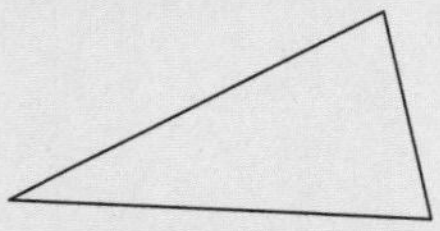

⇨ 이등변삼각형

01

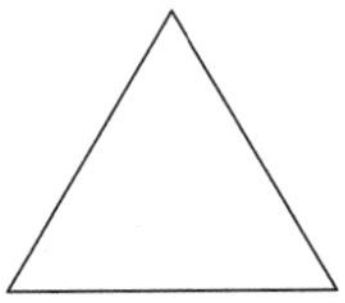

02

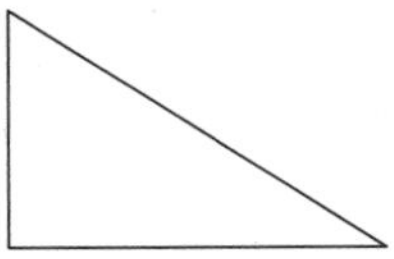

03

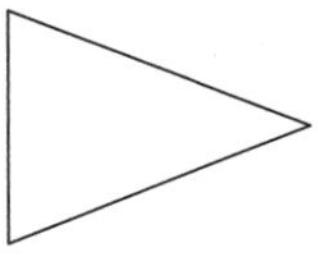

04

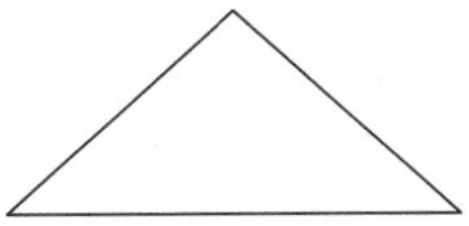

예제 2 도형은 이등변삼각형입니다. □ 안에 알맞은 수를 써넣으시오.

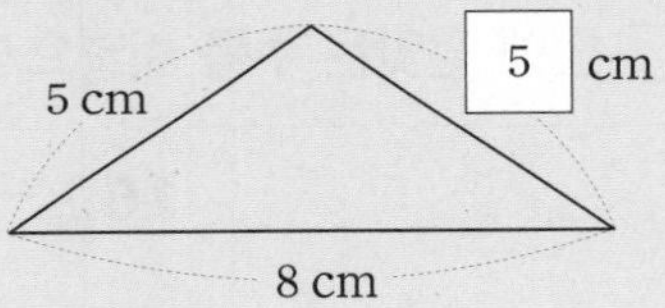

05

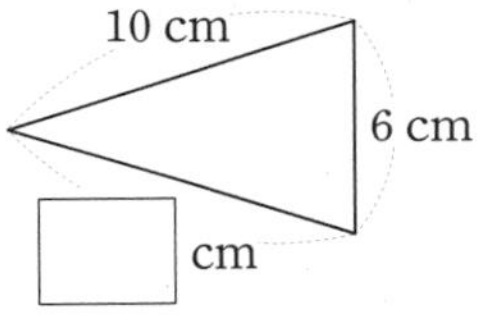

06

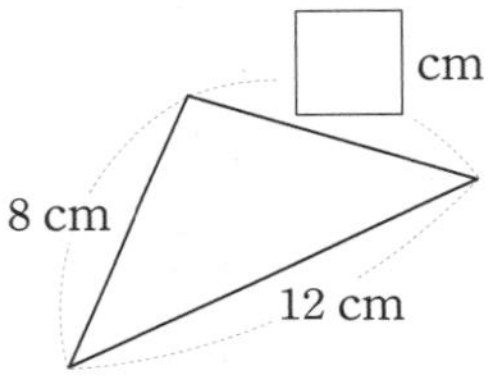

07

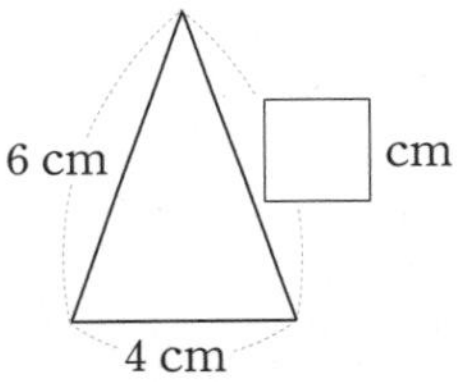

예제 3 도형은 정삼각형입니다. □ 안에 알맞은 수를 써넣으시오.

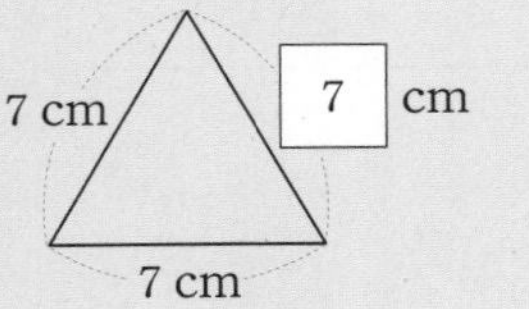

08

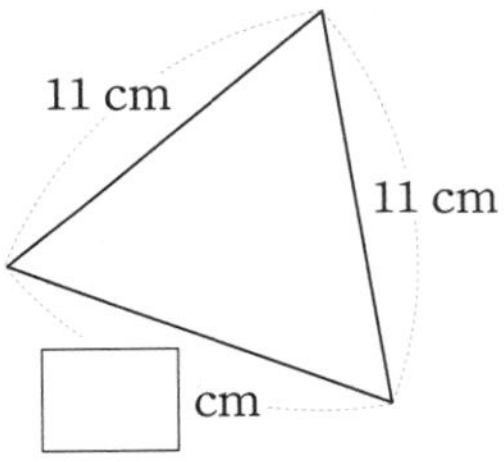

09

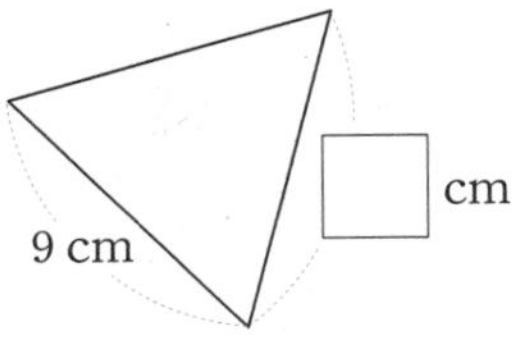

10

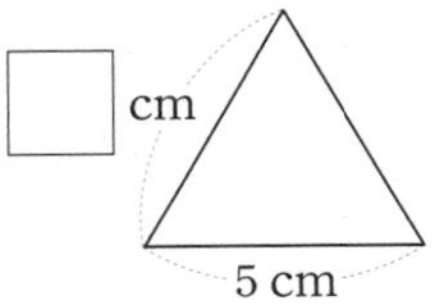

스스로 풀어보는 연산

[11-14] 물음에 답하시오.

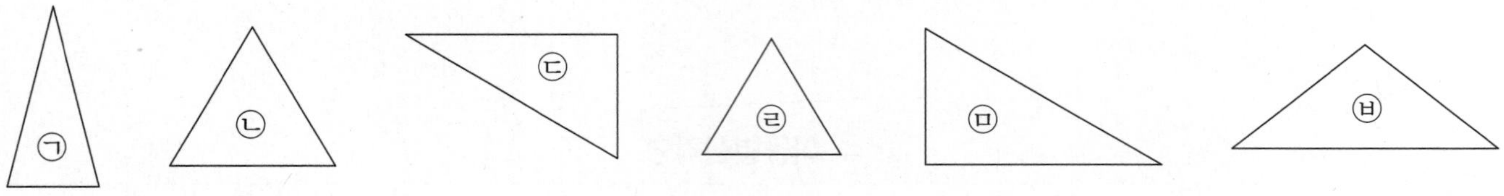

11 길이가 같은 변이 있는 삼각형을 모두 찾아 기호를 쓰시오.

12 이등변삼각형을 모두 찾아 기호를 쓰시오.

13 정삼각형을 모두 찾아 기호를 쓰시오.

14 이등변삼각형도 아니고 정삼각형도 아닌 삼각형을 모두 찾아 기호를 쓰시오.

[15-18] 도형은 이등변삼각형입니다. □ 안에 알맞은 수를 써넣으시오.

15

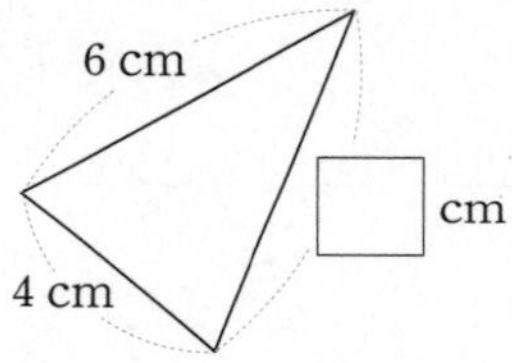

16

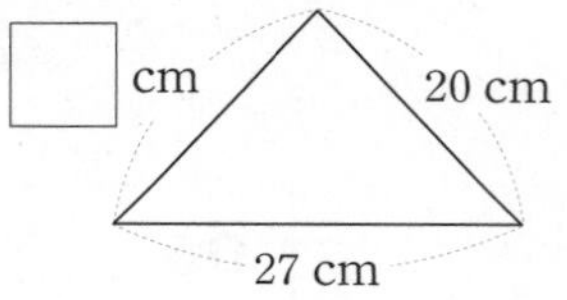

17

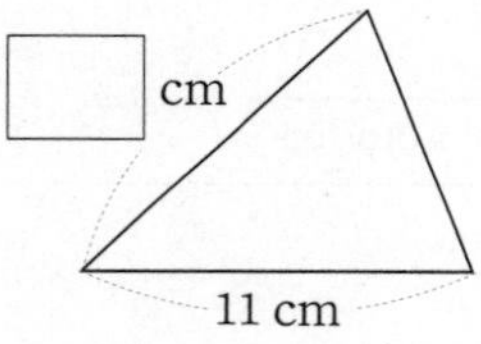

18

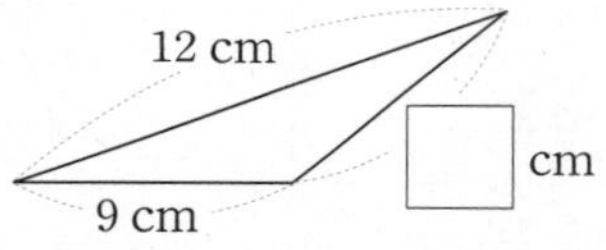

[19-20] 도형은 정삼각형입니다. □ 안에 알맞은 수를 써넣으시오.

19

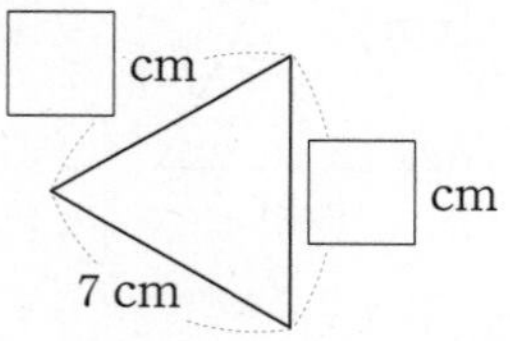

20

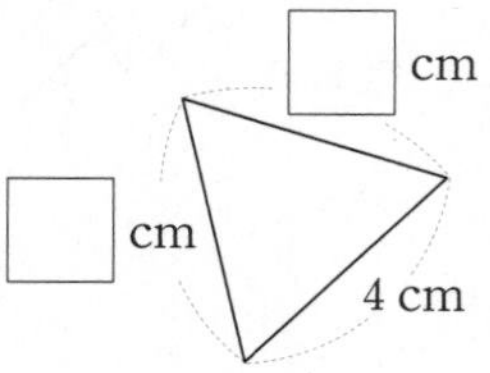

응용 연산

[21-22] 옳은 것을 찾아 기호를 쓰시오.

21

㉠ 이등변삼각형은 한 각이 직각인 삼각형입니다.

㉡ 이등변삼각형은 두 변의 길이가 같은 삼각형입니다.

22

㉠ 정삼각형은 이등변삼각형이라고 할 수 있습니다.

㉡ 이등변삼각형은 정삼각형이라고 할 수 있습니다.

[23-24] 도형은 이등변삼각형입니다. 삼각형의 세 변의 길이의 합을 구하시오.

23

24

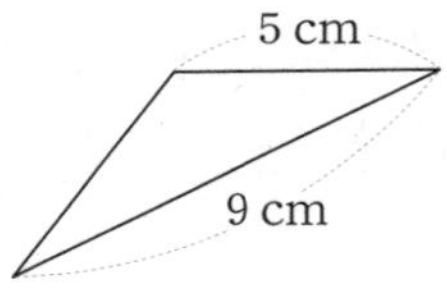

[25-26] 도형은 정삼각형입니다. 삼각형의 세 변의 길이의 합을 구하시오.

25

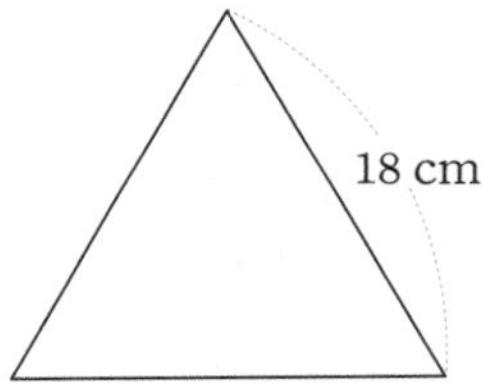

26

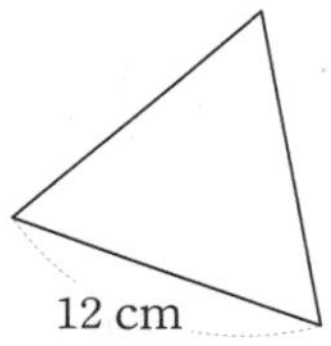

[27-28] 주어진 삼각형의 세 변의 길이로 알맞은 것을 찾아 기호를 쓰시오.

27 이등변삼각형

㉠ 4 cm, 7 cm, 5 cm
㉡ 8 cm, 8 cm, 10 cm
㉢ 9 cm, 10 cm, 11 cm

28 정삼각형

㉠ 6 cm, 8 cm, 10 cm
㉡ 3 cm, 3 cm, 5 cm
㉢ 7 cm, 7 cm, 7 cm

06 이등변삼각형과 정삼각형의 성질

우리는 앞 단원에서 삼각형을 변의 길이에 따라 분류하는 것을 알아보았습니다. 두 변의 길이가 같은 삼각형을 이등변삼각형이라고 하고, 세 변의 길이가 같은 삼각형을 정삼각형이라고 하였습니다.

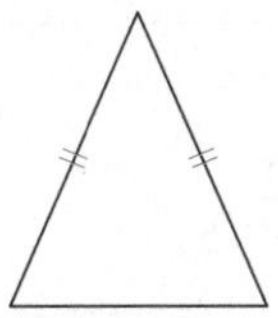
이등변삼각형

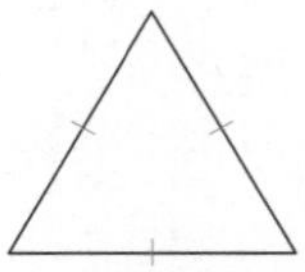
정삼각형

그렇다면 이등변삼각형과 정삼각형은 어떤 성질이 있을까요?
두 변의 길이가 같은 이등변삼각형은 길이가 같은 두 변에 있는 두 각의 크기가 같습니다.
세 변의 길이가 같은 정삼각형은 세 각의 크기가 같습니다. 이때 삼각형의 세 각의 크기의 합은 180°이므로 정삼각형의 한 각의 크기는 180°÷3=60°입니다.

[이등변삼각형]

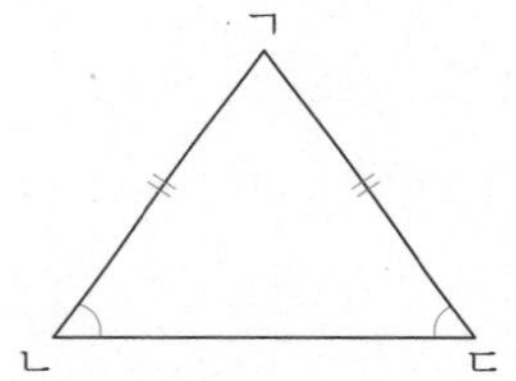

(변 ㄱㄴ)=(변 ㄱㄷ)이면
(각 ㄱㄴㄷ)=(각 ㄱㄷㄴ)

[정삼각형]

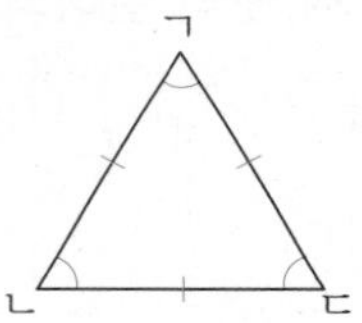

(변 ㄱㄴ)=(변 ㄴㄷ)=(변 ㄱㄷ)이면
(각 ㄱㄴㄷ)=(각 ㄴㄷㄱ)=(각 ㄷㄱㄴ)
=60°

하나의 선분에 크기가 같은 두 각을 그려 삼각형을 만들면 이등변삼각형이 되고,
하나의 선분에 크기가 60°인 두 각을 그려 삼각형을 만들면 정삼각형이 됩니다.

풍산자 비법

❶ 이등변삼각형의 성질 ⇨ 두 각의 크기가 같다.
❷ 정삼각형의 성질 ⇨ 세 각의 크기가 같다.

예제 따라 풀어보는 연산

예제 1

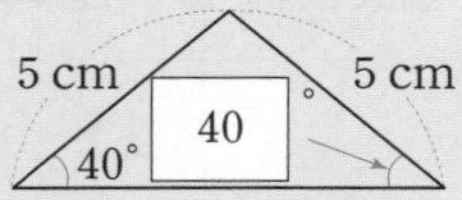

01

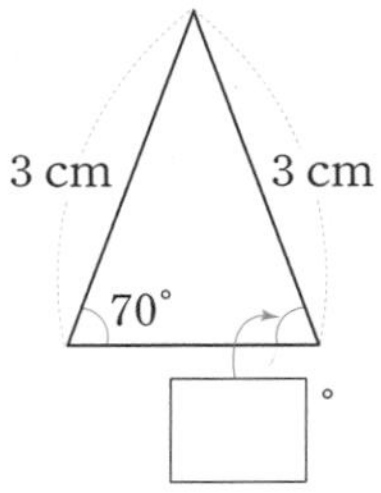

02

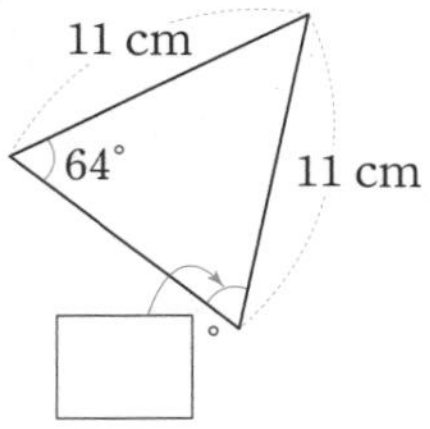

03

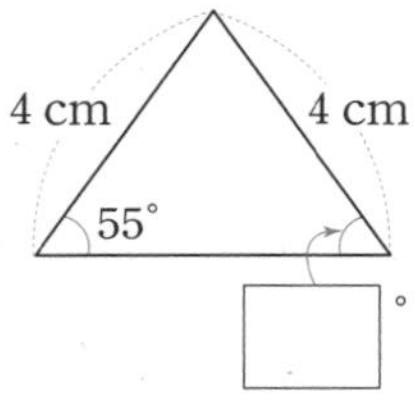

예제 2

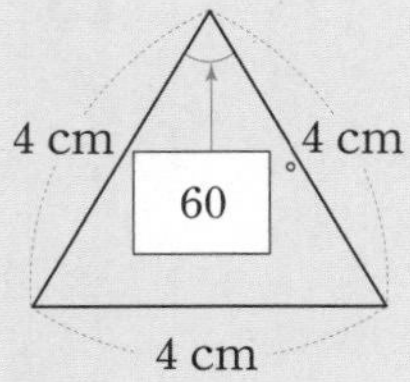

04

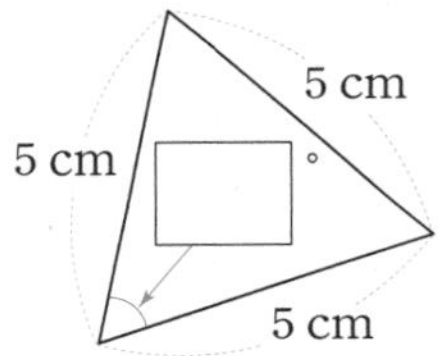

05

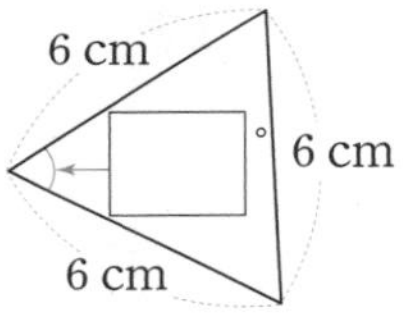

06

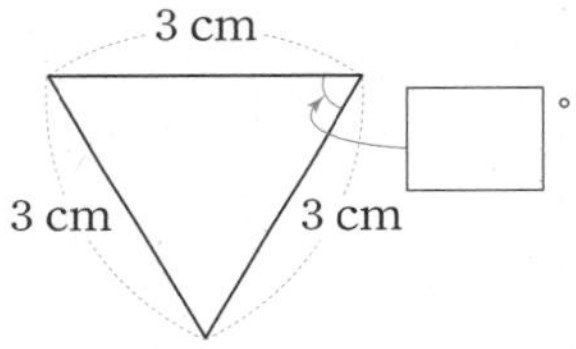

예제 3

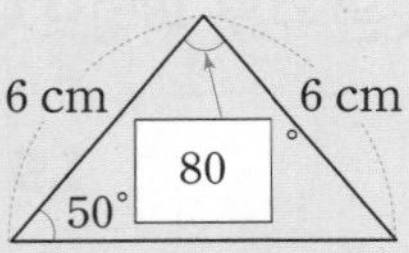

이등변삼각형은 두 각의 크기가 같습니다.

□°$+50°+50°=180°$이므로

□°$=180°-50°-50°=80°$입니다.

07

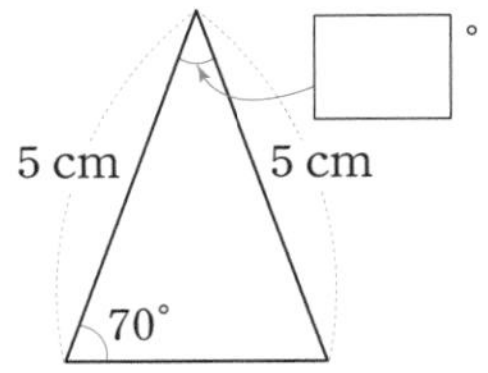

08

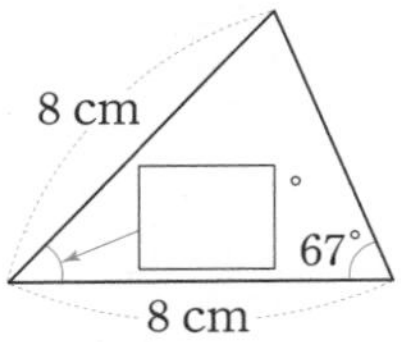

09

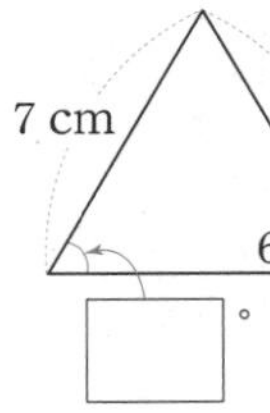

스스로 풀어보는 연산

[10-17] 도형은 이등변삼각형입니다. □ 안에 알맞은 수를 써넣으시오.

10

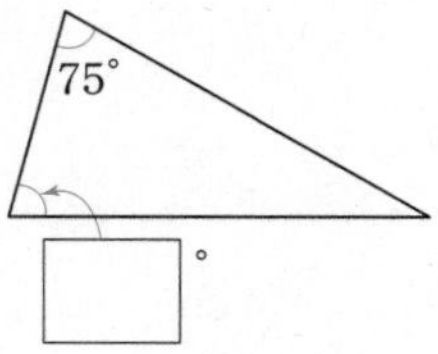

11

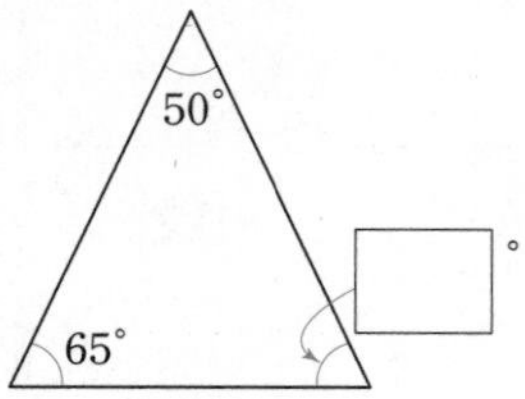

12

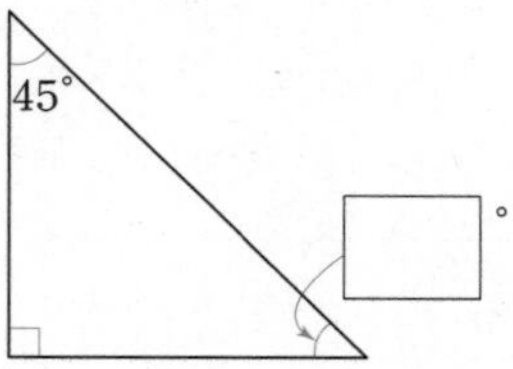

13

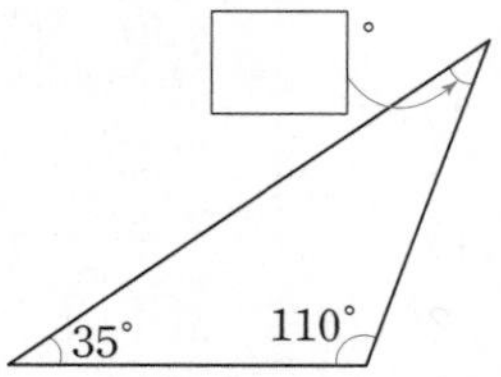

14

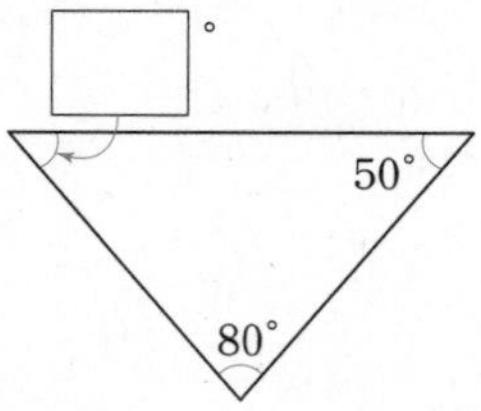

15

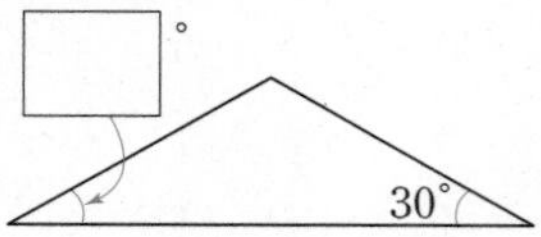

16

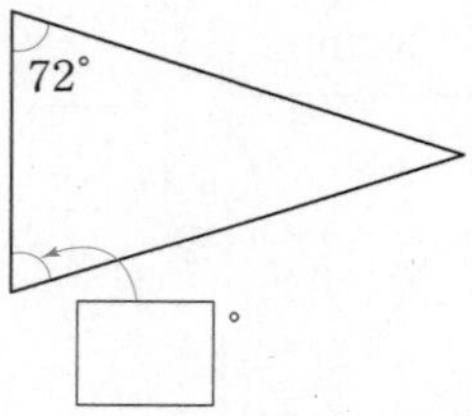

17

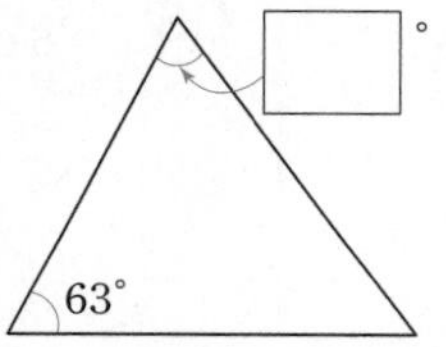

[18-21] 도형은 정삼각형입니다. □ 안에 알맞은 수를 써넣으시오.

18

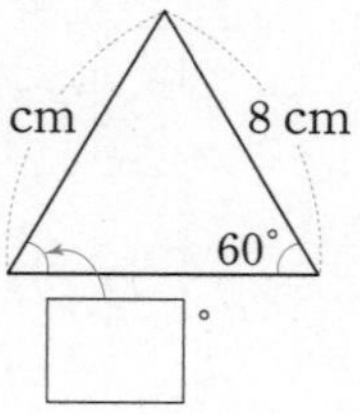

19

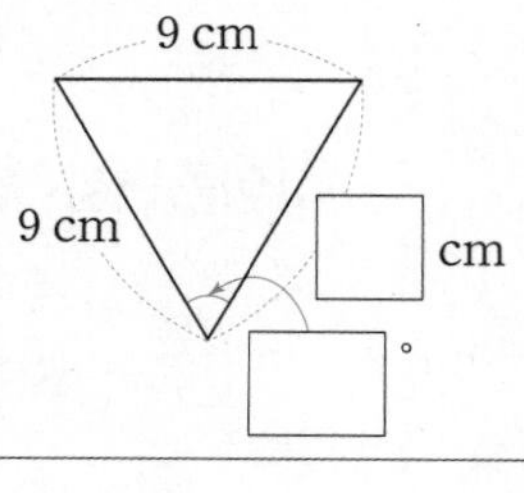

20

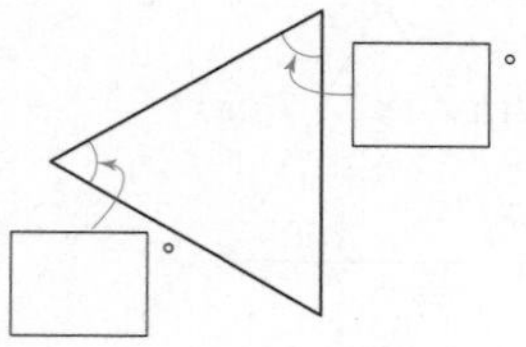

21

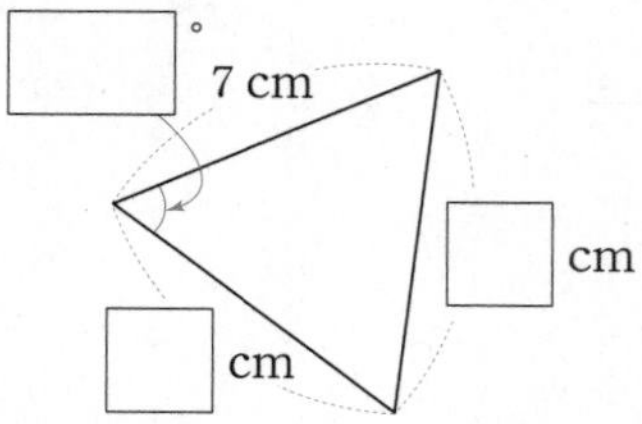

응용 연산

[22-23] □ 안에 알맞은 수를 써넣으시오.

22

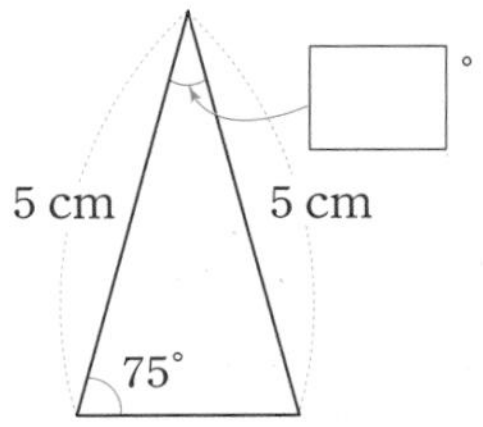

23

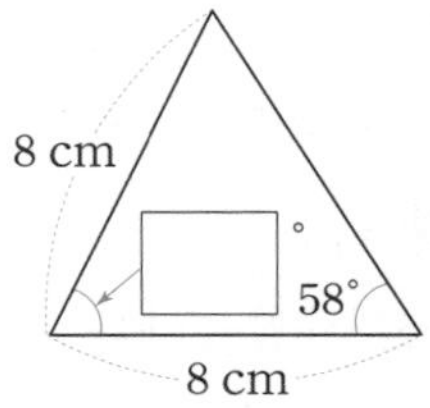

[24-25] 주어진 삼각형의 세 각의 크기로 알맞은 것을 찾아 기호를 쓰시오.

24 이등변삼각형

㉠ 50°, 60°, 70°
㉡ 100°, 40°, 40°
㉢ 35°, 45°, 100°

25 정삼각형

㉠ 45°, 45°, 90°
㉡ 75°, 30°, 75°
㉢ 60°, 60°, 60°

[26-27] 주어진 선분을 한 변으로 하는 도형을 그리시오.

26 이등변삼각형

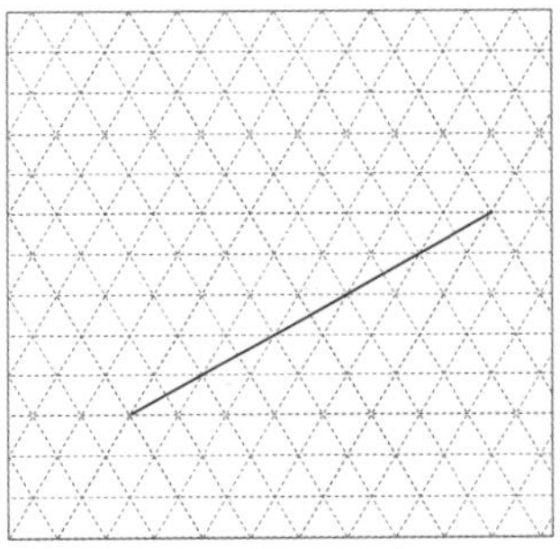

27 정삼각형

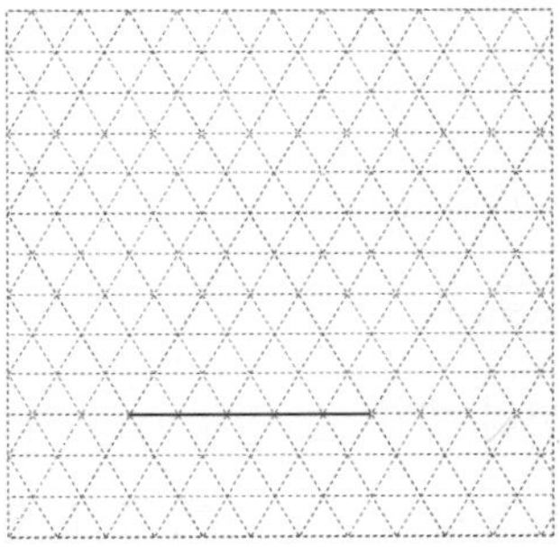

[28-29] 주어진 도형을 모두 찾아 기호를 쓰시오.

28 이등변삼각형

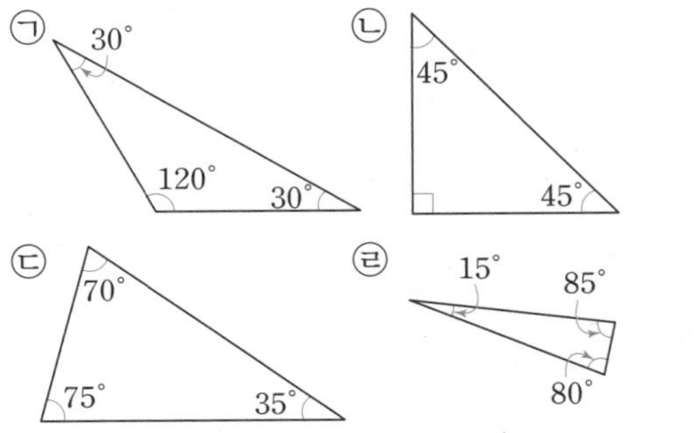

29 정삼각형

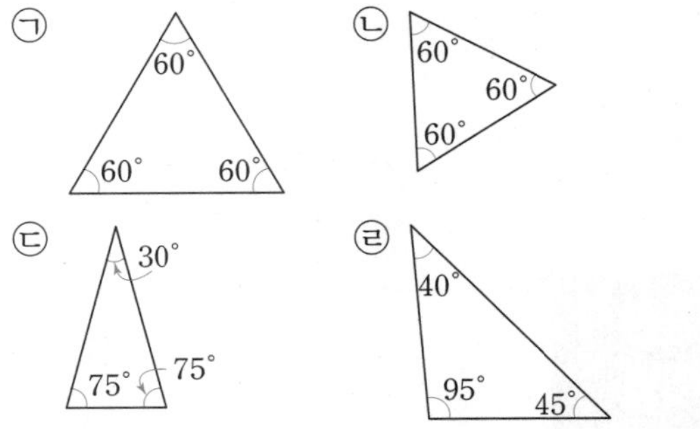

07 삼각형의 분류 (2)

우리는 **[수학 4-1]** 각도에서 예각과 둔각을 알아보았습니다.
각도가 0°보다 크고 직각보다 작은 각을 예각이라고 하고, 각도가 직각보다 크고 180°보다 작은 각을 둔각이라고 하였습니다.

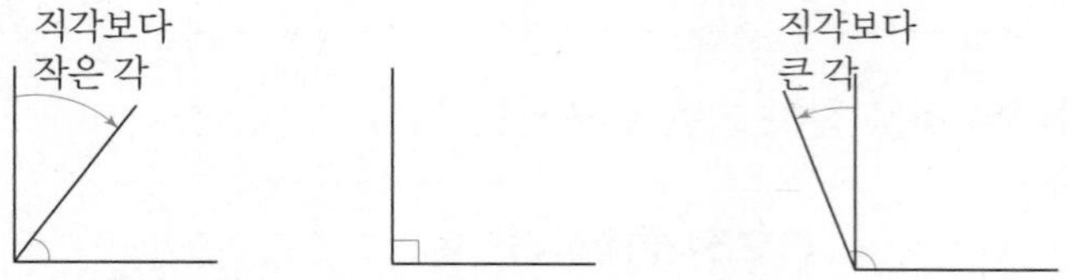

예각 직각 둔각

그렇다면 삼각형을 각의 크기에 따라 어떻게 분류할까요?
여러 가지 삼각형을 살펴보면 세 각이 모두 예각인 삼각형도 있고, 직각삼각형이 있으며, 둔각이 있는 삼각형도 있습니다.
이때 세 각이 모두 예각인 삼각형을 **예각삼각형**이라고 하고, 한 각이 둔각인 삼각형을 **둔각삼각형**이라고 합니다.

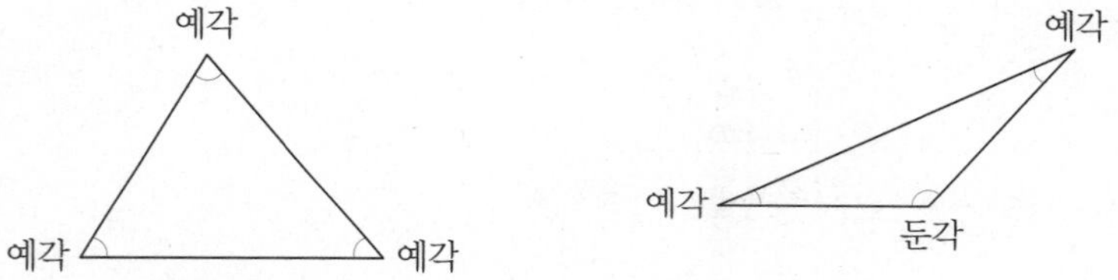

예각삼각형 둔각삼각형

예각삼각형 ⇨ 예각 3개
직각삼각형 ⇨ 직각 1개, 예각 2개
둔각삼각형 ⇨ 둔각 1개, 예각 2개

한편, 삼각형은 변의 길이나 각의 크기에 따라 분류할 수 있고, 변의 길이와 각의 크기의 두 가지 기준을 모두 적용하여 분류할 수도 있습니다.
이때 이등변삼각형이나 세 변의 길이가 모두 다른 삼각형에는 예각삼각형, 직각삼각형, 둔각삼각형이 있고, 정삼각형은 모두 예각삼각형임을 알 수 있습니다.

풍산자 비법

❶ 예각삼각형 ⇨ 세 각이 모두 예각인 삼각형
❷ 둔각삼각형 ⇨ 한 각이 둔각인 삼각형

예제 따라 풀어보는 연산

예제 1 삼각형의 이름으로 알맞은 것을 고르시오.

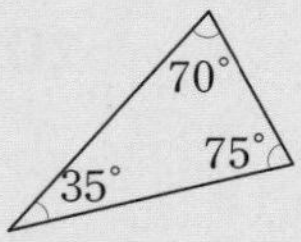

(예각삼각형) / 직각삼각형 / 둔각삼각형

01 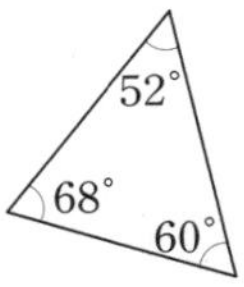 예각삼각형 / 직각삼각형 / 둔각삼각형	**02** 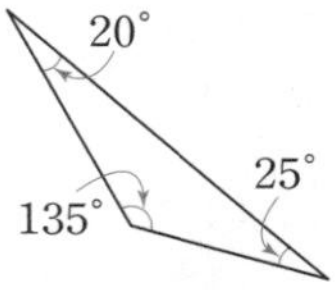 예각삼각형 / 직각삼각형 / 둔각삼각형
03 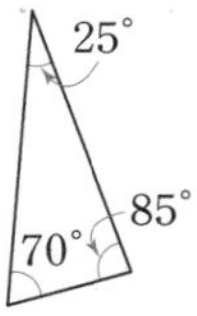 예각삼각형 / 직각삼각형 / 둔각삼각형	**04** 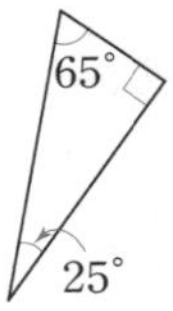 예각삼각형 / 직각삼각형 / 둔각삼각형

예제 2 삼각형의 이름으로 알맞은 것을 고르시오.

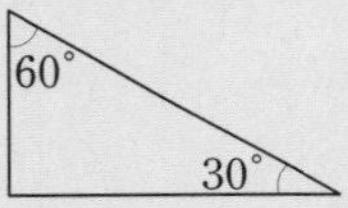

예각삼각형 / (직각삼각형) / 둔각삼각형

05 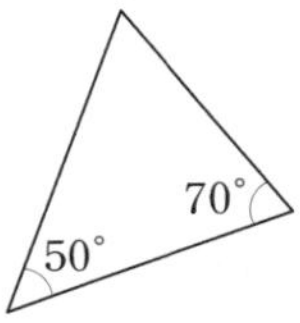 예각삼각형 / 직각삼각형 / 둔각삼각형	**06** 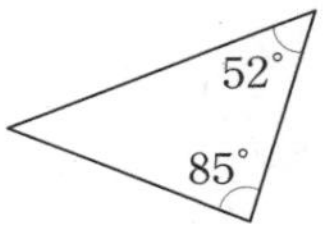 예각삼각형 / 직각삼각형 / 둔각삼각형
07 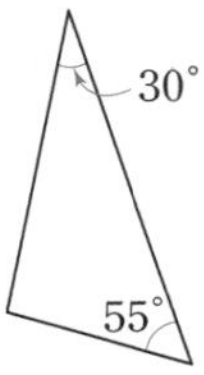 예각삼각형 / 직각삼각형 / 둔각삼각형	**08**  예각삼각형 / 직각삼각형 / 둔각삼각형

스스로 풀어보는 연산

[09-20] 삼각형을 각의 크기에 따라 분류하시오.

09

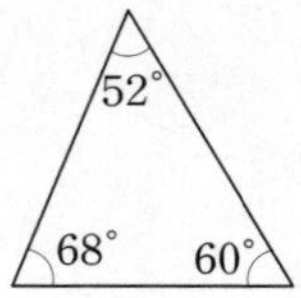

10

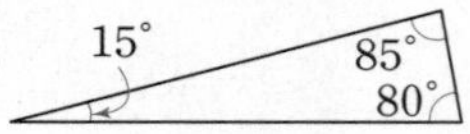

11

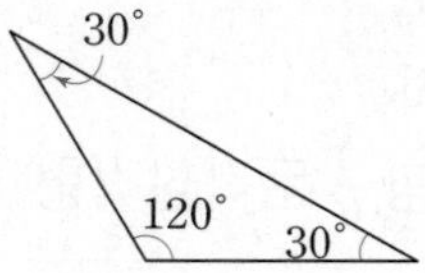

12

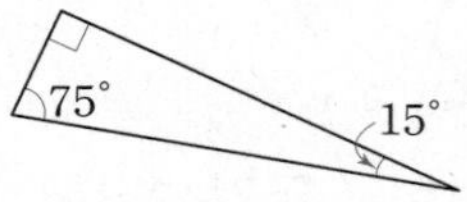

13

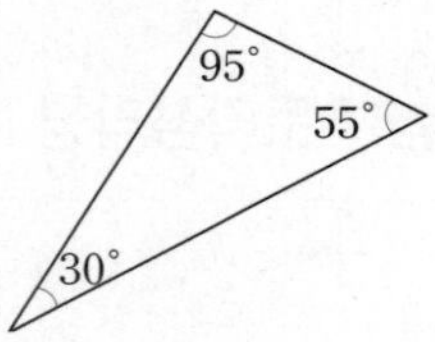

14

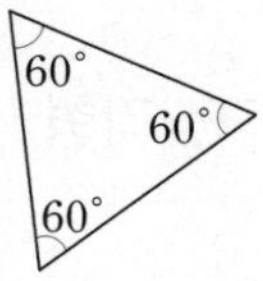

15

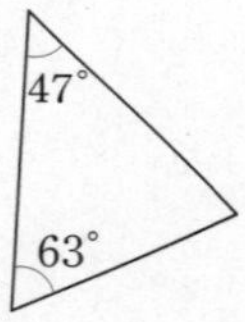

16

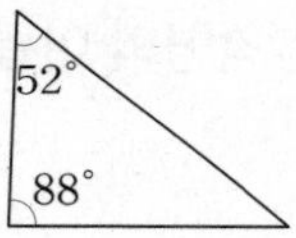

17

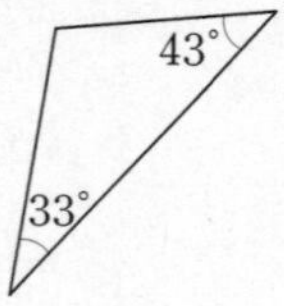

18

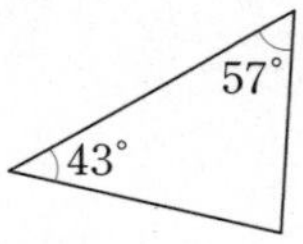

19

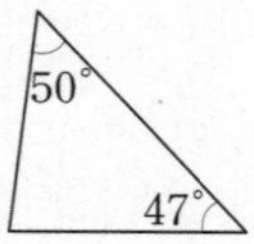

20

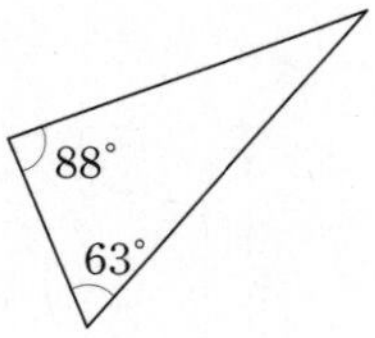

응용 연산

[21-22] 삼각형을 보고 삼각형의 이름이 될 수 있는 것을 모두 쓰시오.

21

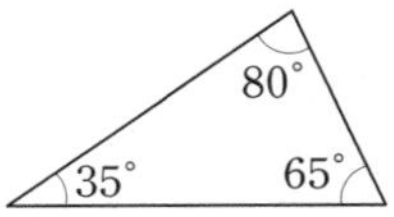

22

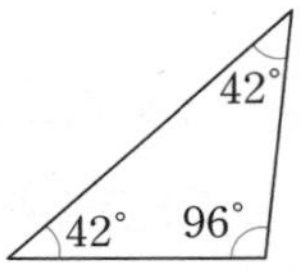

[23-24] 주어진 삼각형의 세 각의 크기로 알맞은 것을 모두 찾아 기호를 쓰시오.

23 예각삼각형

㉠ 45°, 60°, 75°
㉡ 25°, 130°, 25°
㉢ 55°, 85°, 40°

24 둔각삼각형

㉠ 70°, 70°, 40°
㉡ 110°, 40°, 30°
㉢ 105°, 25°, 50°

[25-26] 관계있는 것끼리 이어 보시오.

25

이등변 삼각형 •
정삼각형 •

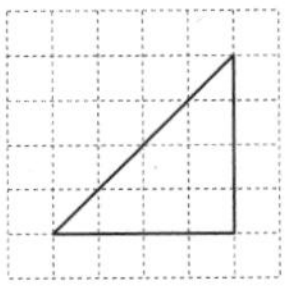

• 예각삼각형
• 직각삼각형
• 둔각삼각형

26

이등변 삼각형 •
정삼각형 •

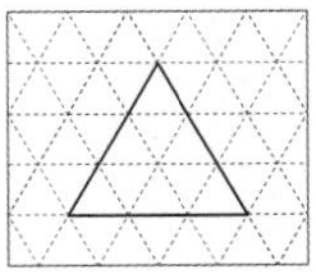

• 예각삼각형
• 직각삼각형
• 둔각삼각형

[27-28] 삼각형의 일부가 지워졌습니다. 이 삼각형은 어떤 삼각형인지 쓰시오.

27

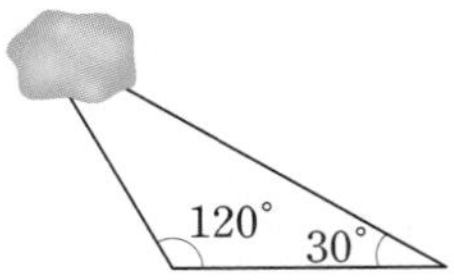

28

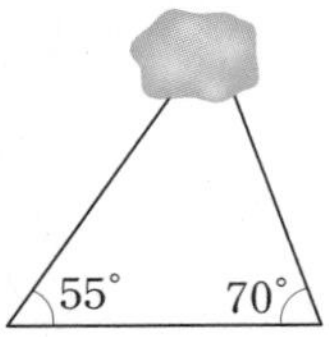

재미있게, 우리 연산하자!

지금까지 우리는 삼각형을 배웠습니다.
힘들었을 텐데, 잘 풀었어요!

자, 그럼 마지막으로 지금까지 배운 삼각형을 모두 이용해서
지하철을 타고 여행을 해 볼까요?
홍대입구역에서 시계 방향으로 지하철을 타고 출발하여
①부터 ⑤까지 나온 수만큼 정거장을 지나간다고 할 때,
각 번호마다 도착역을 모두 구해 봅시다.

① 정삼각형에서 크기가 같은 각의 개수 (　　　　　)

② 둔각삼각형에서 예각의 개수 (　　　　　)

③ 예각삼각형에서 예각의 개수 (　　　　　)

④ 직각삼각형에서 예각의 개수 (　　　　　)

⑤ 정삼각형이 아닌 이등변삼각형에서 크기가 같은 각의 개수 (　　　　　)

3

소수의 덧셈과 뺄셈

공부할 내용	공부한 날
08 소수 두 자리 수와 소수 세 자리 수	월 일
09 소수의 크기 비교와 소수 사이의 관계	월 일
10 소수의 덧셈	월 일
11 소수의 뺄셈	월 일

08 소수 두 자리 수와 소수 세 자리 수

우리는 **[수학 3-1]** 분수와 소수에서 소수 한 자리 수를 알아보았습니다.

분수 $\frac{1}{10}$, $\frac{2}{10}$, $\frac{3}{10}$ …… $\frac{9}{10}$를 0.1, 0.2, 0.3 …… 0.9라고 하였습니다.

그렇다면 소수 두 자리 수와 소수 세 자리 수는 어떻게 나타낼까요?

분수 $\frac{1}{100}$은 소수로 **0.01**이라 쓰고, **영 점 영일**이라고 읽습니다.

분수 $\frac{65}{100}$는 소수로 **0.65**라 쓰고, **영 점 육오**라고 읽습니다.

0.65는 0.01이 65개인 수입니다.

분수 $1\frac{34}{100}$는 소수로 **1.34**라 쓰고, **일 점 삼사**라고 읽습니다. 이때 1.34에서

1.34는 1이 1개, 0.1이 3개, 0.01이 4개인 수입니다.

1은 일의 자리 숫자이고, 1을 나타냅니다.
3은 소수 첫째 자리 숫자이고, 0.3을 나타냅니다.
4는 소수 둘째 자리 숫자이고, 0.04를 나타냅니다.

일의 자리		소수 첫째 자리	소수 둘째 자리
1	.		
0	.	3	
0	.		4

분수 $\frac{1}{1000}$은 소수로 **0.001**이라 쓰고, **영 점 영영일**이라고 읽습니다.

분수 $\frac{654}{1000}$는 소수로 **0.654**라 쓰고, **영 점 육오사**라고 읽습니다.

분수 $1\frac{345}{1000}$는 소수로 **1.345**라 쓰고, **일 점 삼사오**라고 읽습니다. 이때 1.345에서

1.345는 1이 1개, 0.1이 3개, 0.01이 4개, 0.001이 5개인 수입니다.

1은 일의 자리 숫자이고, 1을 나타냅니다.
3은 소수 첫째 자리 숫자이고, 0.3을 나타냅니다.
4는 소수 둘째 자리 숫자이고, 0.04를 나타냅니다.
5는 소수 셋째 자리 숫자이고, 0.005를 나타냅니다.

일의 자리		소수 첫째 자리	소수 둘째 자리	소수 셋째 자리
1	.			
0	.	3		
0	.		4	
0	.			5

풍산자 비법

❶ 소수 두 자리 수 ⇨ $\frac{1}{100}=0.01$ ❷ 소수 세 자리 수 ⇨ $\frac{1}{1000}=0.001$

예제 따라 풀어보는 연산

예제 1

$\frac{59}{100}$ ⇨ 소수: 0.59

⇨ 읽기: 영 점 오구

01 $\frac{45}{100}$ 소수: 읽기:	02 $\frac{124}{100}$ 소수: 읽기:
03 $\frac{238}{1000}$ 소수: 읽기:	04 $\frac{3949}{1000}$ 소수: 읽기:

예제 2

1이 1개, 0.1이 4개, 0.01이 7개인 수

⇨ 1.47

⇨ 일 점 사칠

05 1이 2개, 0.1이 1개, 0.01이 4개인 수 ⇨ ⇨	06 1이 5개, 0.1이 8개, 0.01이 3개인 수 ⇨ ⇨
07 1이 3개, 0.1이 9개, 0.01이 2개인 수 ⇨ ⇨	08 1이 6개, 0.1이 3개, 0.01이 9개인 수 ⇨ ⇨

예제 3

1이 3개, 0.1이 8개, 0.01이 5개, 0.001이 6개인 수

⇨ 3.856

⇨ 삼 점 팔오육

09 1이 4개, 0.1이 2개, 0.01이 1개, 0.001이 6개인 수 ⇨ ⇨	10 1이 1개, 0.1이 6개, 0.01이 5개, 0.001이 8개인 수 ⇨ ⇨
11 1이 5개, 0.1이 9개, 0.01이 3개, 0.001이 5개인 수 ⇨ ⇨	12 1이 6개, 0.1이 1개, 0.01이 4개, 0.001이 9개인 수 ⇨ ⇨

스스로 풀어보는 연산

[13-20] 분수를 소수로 나타내고 읽어보시오.

13 $\frac{33}{100}$ 소수: 읽기:	**14** $\frac{21}{100}$ 소수: 읽기:
15 $\frac{718}{100}$ 소수: 읽기:	**16** $\frac{307}{100}$ 소수: 읽기:
17 $\frac{592}{1000}$ 소수: 읽기:	**18** $\frac{263}{1000}$ 소수: 읽기:
19 $\frac{4061}{1000}$ 소수: 읽기:	**20** $\frac{3251}{1000}$ 소수: 읽기:

[21-26] 설명하는 수를 소수로 나타내고 읽어보시오.

21 1이 3개, 0.1이 4개, 0.01이 7개인 수 ⇨ ⇨	**22** 1이 5개, 0.1이 1개, 0.01이 4개인 수 ⇨ ⇨
23 1이 4개, 0.1이 4개, 0.01이 2개인 수 ⇨ ⇨	**24** 1이 7개, 0.1이 0개, 0.01이 8개인 수 ⇨ ⇨
25 1이 2개, 0.1이 8개, 0.01이 6개인 수 ⇨ ⇨	**26** 1이 5개, 0.1이 7개, 0.01이 6개 0.001이 1개인 수 ⇨ ⇨

응용 연산

[27-28] □ 안에 알맞은 것을 써넣으시오.

27

4.85에서 4는 □의 자리 숫자이고 □를 나타냅니다. 8은 □자리 숫자이고 □을 나타냅니다. 5는 □자리 숫자이고 □를 나타냅니다.

28

2.067에서 2는 □의 자리 숫자이고 □를 나타냅니다. 6은 □자리 숫자이고 □을 나타냅니다. 7은 □자리 숫자이고 □을 나타냅니다.

[29-30] □ 안에 알맞은 소수를 써넣으시오.

29

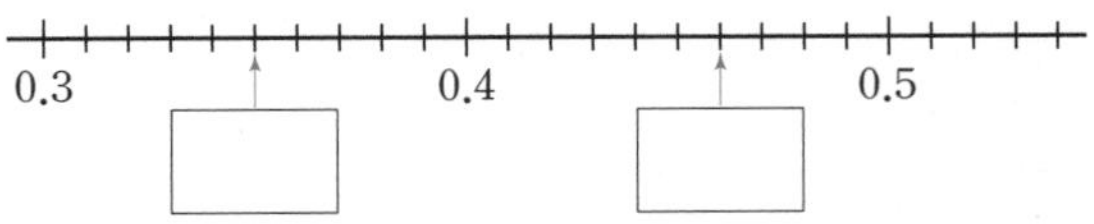

30

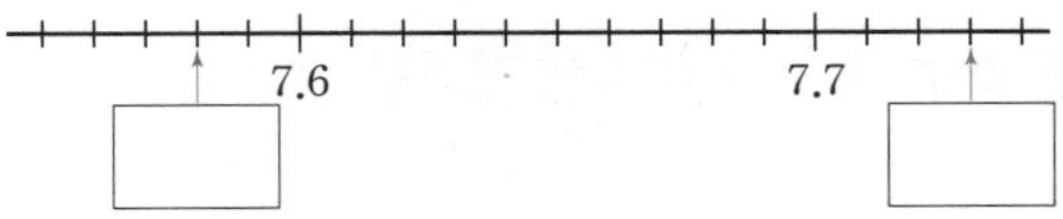

[31-32] 소수를 바르게 읽지 않은 친구는 누구인지 쓰시오.

31

영미: 3.162는 삼 점 일육이로 읽어.
진형: 8.021은 팔 점 이일로 읽어.

32

승혜: 23.12는 이삼 점 일이로 읽어.
진우: 6.703은 육 점 칠영삼으로 읽어.

[33-34] 조건을 만족하는 수를 소수로 나타내고 읽어보시오.

33

조건
- 소수 두 자리 수입니다.
- 2보다 크고 3보다 작습니다.
- 소수 첫째 자리 숫자는 7입니다.
- 소수 둘째 자리 숫자는 4입니다.

34

조건
- 소수 세 자리 수입니다.
- 5보다 크고 6보다 작습니다.
- 소수 첫째 자리 숫자는 3입니다.
- 소수 둘째 자리 숫자는 5입니다.
- 소수 둘째 자리 숫자와 소수 셋째 자리 숫자의 합은 13입니다.

09 소수의 크기 비교와 소수 사이의 관계

우리는 **[수학 3-1]** 분수와 소수에서 소수 한 자리 수의 크기를 비교하는 방법을 알아보았습니다.
자연수 부분의 크기를 비교하여 자연수 부분의 크기가 큰 소수가 더 크고,
자연수 부분의 크기가 같은 경우는 소수 부분의 크기가 큰 소수가 더 큽니다.

1.9<2.3
2.3<2.7

그렇다면 소수 두 자리 수와 소수 세 자리 수의 크기 비교는 어떻게 할까요?
소수의 크기 비교는 먼저 자연수 부분의 크기를 비교하여 자연수 부분의 크기가 큰 소수가 더 큽니다.
자연수 부분의 크기가 같은 경우는 소수 첫째 자리 수의 크기를 비교하고, 만약 같다면 소수 둘째 자리 수의 크기를 비교합니다. 소수 첫째 자리와 소수 둘째 자리 수가 같으면 소수 셋째 자리 수의 크기를 비교합니다.

- 1.24와 2.3의 크기 비교 ⇨ 자연수 부분이 1<2이므로 1.24<2.3
- 1.63과 1.627의 크기 비교 ⇨ 자연수 부분과 소수 첫째 자리 수가 같고 소수 둘째 자리 수가 3>2이므로 1.63>1.627
- 2.456과 2.458의 크기 비교 ⇨ 자연수 부분과 소수 첫째 자리, 소수 둘째 자리 수가 같고 소수 셋째 자리 수가 6<8이므로 2.456<2.458

필요한 경우 소수의 오른쪽 끝자리에 0을 붙여서 나타낼 수 있습니다. 즉, 0.3과 0.30, 0.300은 같은 수입니다.
0.3=0.30=0.300

또한, 소수 사이에는 어떤 관계가 있을까요?
1의 $\frac{1}{10}$은 0.1, 0.1의 $\frac{1}{10}$은 0.01, 0.01의 $\frac{1}{10}$은 0.001이 되고, 0.001을 10배 하면 0.01, 0.01을 10배 하면 0.1, 0.1을 10배 하면 1이 됩니다.
즉, 어떤 수의 $\frac{1}{10}$을 구하면 소수점을 기준으로 수가 오른쪽으로 한 자리 이동하고, 10배 하면 수가 왼쪽으로 한 자리 이동합니다.

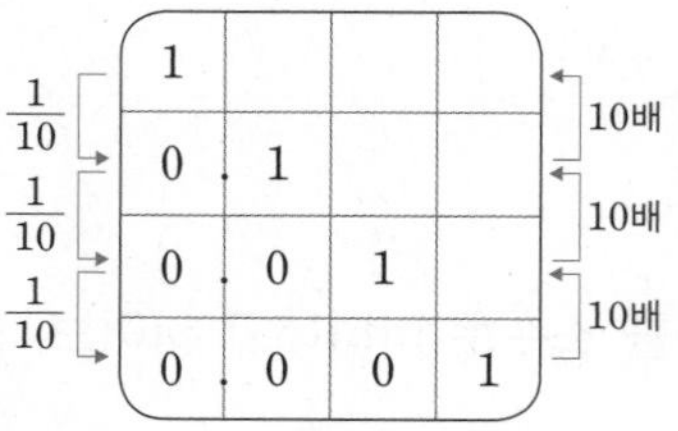

1은 0.01의 100배이고, 0.001의 1000배입니다.
1의 $\frac{1}{100}$은 0.01이고, $\frac{1}{1000}$은 0.001입니다.

풍산자 비법 소수의 크기 비교 ⇨ 자연수 부분, 소수 첫째 자리, 소수 둘째 자리, 소수 셋째 자리의 수를 차례로 비교한다.

예제 따라 풀어보는 연산

예제 1

3.881과 3.794의 크기 비교
⇨ 자연수 부분이 같고
소수 첫째 자리 수가 $8>7$이므로
$3.881>3.794$

01 5.29 ◯ 7.012	**02** 7.562 ◯ 7.549
03 9.042 ◯ 9.05	**04** 22.511 ◯ 23.451
05 12.75 ◯ 12.750	**06** 36.736 ◯ 36.587

예제 2

0.8의 10배는 [8]이고, 100배는 [80]입니다.
4.75의 $\frac{1}{10}$은 [0.475]이고, $\frac{1}{100}$은 [0.0475]입니다.

07 0.36의 10배는 [ ]이고, 100배는 [ ]입니다.	**08** 2.47의 10배는 [ ]이고, 100배는 [ ]입니다.
09 5.411의 10배는 [ ]이고, 100배는 [ ]이며, 1000배는 [ ]입니다.	**10** 8.069의 10배는 [ ]이고, 100배는 [ ]이며, 1000배는 [ ]입니다.
11 35.2의 $\frac{1}{10}$은 [ ]이고, $\frac{1}{100}$은 [ ]입니다.	**12** 4의 $\frac{1}{10}$은 [ ]이고, $\frac{1}{100}$은 [ ]이며, $\frac{1}{1000}$은 [ ]입니다.

스스로 풀어보는 연산

[13-18] 두 수의 크기를 비교하여 ○ 안에 >, =, <를 알맞게 써넣으시오.

13 6.785 ○ 5.256	**14** 11.246 ○ 12.126
15 1.855 ○ 1.865	**16** 7.36 ○ 7.360
17 15.005 ○ 14.998	**18** 10.82 ○ 10.815

[19-24] □ 안에 알맞은 수를 써넣으시오.

19 2.29의 10배는 □이고, 100배는 □입니다.	**20** 5.08의 10배는 □이고, 100배는 □입니다.
21 0.753의 10배는 □이고, 100배는 □이며, 1000배는 □입니다.	**22** 9.6의 $\frac{1}{10}$은 □이고, $\frac{1}{100}$은 □입니다.
23 3.8의 $\frac{1}{10}$은 □이고, $\frac{1}{100}$은 □입니다.	**24** 72의 $\frac{1}{10}$은 □이고, $\frac{1}{100}$은 □이며, $\frac{1}{1000}$은 □입니다.

응용 연산

[25-26] 빈칸에 알맞은 수를 써넣으시오.

25

0.124 →(10배)→ ☐ →(10배)→ ☐

26

10.8 →($\frac{1}{10}$)→ ☐ →($\frac{1}{10}$)→ ☐

[27-28] ㉠이 나타내는 수는 ㉡이 나타내는 수의 몇 배인지 구하시오.

27

2<u>1</u>.83<u>1</u>

(㉠: 일의 자리의 1, ㉡: 소수 셋째 자리의 1)

28

<u>4</u>0.<u>4</u>69

(㉠: 십의 자리의 4, ㉡: 소수 첫째 자리의 4)

[29-30] 큰 수부터 차례대로 기호를 쓰시오.

29

㉠ 1.987　　㉡ 1.978
㉢ 2.013　　㉣ 1.895

30

㉠ 20.746　　㉡ 19.958
㉢ 20.91　　㉣ 21.032

[31-32] ㉠+㉡을 구하시오.

31

- 0.398의 ㉠배는 39.8입니다.
- 24의 $\frac{1}{㉡}$은 2.4입니다.

32

- 512.6의 $\frac{1}{㉠}$은 5.126입니다.
- 3.2는 0.032의 ㉡배입니다.

10 소수의 덧셈

우리는 **[수학 3-1]** 덧셈과 뺄셈에서 587+233과 같은 (세 자리 수)+(세 자리 수)를 계산하는 방법을 알아보았습니다.
이런 계산은 각 자리의 숫자를 맞추어 적은 다음 같은 자리의 수끼리 더하여 다음과 같이 계산하였습니다.

$$\begin{array}{rccc} & & {}^{1} & \\ & 5 & 8 & 7 \\ + & 2 & 3 & 3 \\ \hline & & & 0 \end{array}$$

일의 자리를 계산하면
7+3=10이므로 십의 자리로
1을 받아올림합니다.

$$\begin{array}{rccc} & {}^{1} & {}^{1} & \\ & 5 & 8 & 7 \\ + & 2 & 3 & 3 \\ \hline & & 2 & 0 \end{array}$$

십의 자리를 계산하면
10+80+30=120이므로
백의 자리로 1을 받아올림합니다.

$$\begin{array}{rccc} & {}^{1} & {}^{1} & \\ & 5 & 8 & 7 \\ + & 2 & 3 & 3 \\ \hline & 8 & 2 & 0 \end{array}$$

백의 자리를 계산하면
100+500+200=800

그렇다면 0.7+0.5, 0.63+0.58과 같은 소수의 덧셈은 어떻게 계산할까요?
소수의 덧셈은 소수를 분수로 바꾸어 계산하거나 소수를 소수점끼리 맞추어 세로로 쓰고 같은 자리 수끼리 더하여 계산합니다.
이때 세로 계산에서 같은 자리 수끼리의 합이 10이거나 10보다 크면 바로 윗자리로 1을 받아올림하여 계산합니다.

[방법 1] 소수를 분수로 바꾸어 계산

$$0.7+0.5=\frac{7}{10}+\frac{5}{10}=\frac{12}{10}=1.2$$

$$0.63+0.58=\frac{63}{100}+\frac{58}{100}=\frac{121}{100}=1.21$$

[방법 2] 세로로 계산

$$\begin{array}{rcc} & {}^{1} & \\ & 0. & 7 \\ + & 0. & 5 \\ \hline & 1. & 2 \end{array} \qquad \begin{array}{rccc} & {}^{1} & {}^{1} & \\ & 0. & 6 & 3 \\ + & 0. & 5 & 8 \\ \hline & 1. & 2 & 1 \end{array}$$

0.7은 0.1이 7개이고 0.5는 0.1이 5개입니다.
즉, 0.7+0.5는 0.1이 12개이므로 1.2입니다.

소수의 덧셈을 세로로 쓸 때 소수점끼리 맞춘다고 생각하면 자연수의 계산과 혼동되지 않습니다.

풍산자 비법

소수의 덧셈 ⇨ 소수점끼리 맞추어 세로로 쓰고 같은 자리 수끼리 더한다.

예제 따라 풀어보는 연산

예제 1 $0.7+0.9=\frac{7}{10}+\frac{9}{10}=\frac{16}{10}=1.6$

01 $2.5+0.3=$	**02** $1.5+2.4=$
03 $0.62+2.37=$	**04** $3.48+0.25=$

예제 2

$$\begin{array}{r} \overset{1}{1}.7 \\ +\ 0.8 \\ \hline 2.5 \end{array}$$

05 $\begin{array}{r} 0.6 \\ +\ 1.5 \\ \hline \end{array}$	**06** $\begin{array}{r} 3.2 \\ +\ 1.9 \\ \hline \end{array}$
07 $\begin{array}{r} 5.8 \\ +\ 2.4 \\ \hline \end{array}$	**08** $\begin{array}{r} 9.5 \\ +\ 4.5 \\ \hline \end{array}$

예제 3

$$\begin{array}{r} \overset{1}{2}.\overset{1}{6}9 \\ +\ 0.54 \\ \hline 3.23 \end{array}$$

09 $\begin{array}{r} 0.85 \\ +\ 0.16 \\ \hline \end{array}$	**10** $\begin{array}{r} 1.74 \\ +\ 1.65 \\ \hline \end{array}$
11 $\begin{array}{r} 4.12 \\ +\ 0.39 \\ \hline \end{array}$	**12** $\begin{array}{r} 3.16 \\ +\ 2.84 \\ \hline \end{array}$

스스로 풀어보는 연산

13 $0.6+0.3=$	14 $0.8+0.9=$
15 $1.5+2.5=$	16 $2.6+5.9=$
17 $0.55+0.16=$	18 $1.75+2.42=$
19 $1.54+5.61=$	20 $2.57+6.82=$
21 $\begin{array}{r} 1.5 \\ +\ 0.8 \\ \hline \end{array}$	22 $\begin{array}{r} 3.9 \\ +\ 2.4 \\ \hline \end{array}$
23 $\begin{array}{r} 5.7 \\ +\ 4.3 \\ \hline \end{array}$	24 $\begin{array}{r} 1.42 \\ +\ 0.56 \\ \hline \end{array}$
25 $\begin{array}{r} 4.08 \\ +\ 0.25 \\ \hline \end{array}$	26 $\begin{array}{r} 3.58 \\ +\ 2.6 \\ \hline \end{array}$
27 $\begin{array}{r} 3.47 \\ +\ 2.67 \\ \hline \end{array}$	28 $\begin{array}{r} 5.9 \\ +\ 4.23 \\ \hline \end{array}$

응용 연산

[29-30] 수직선을 보고 □ 안에 알맞은 수를 써넣으시오.

29

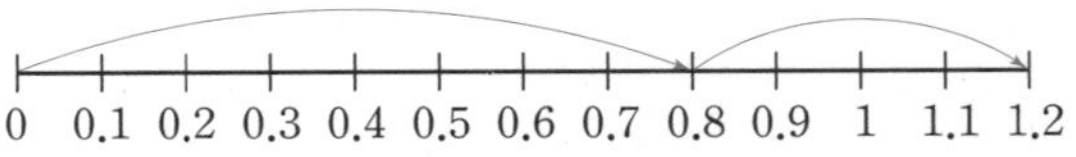

0.8+□=□

30

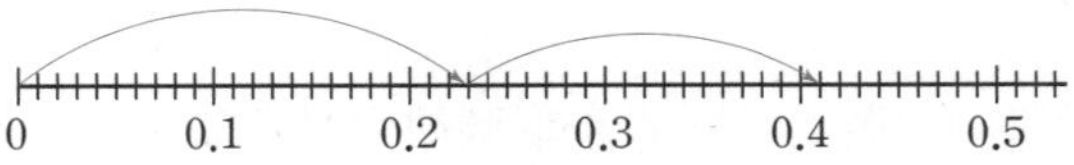

0.23+□=□

[31-32] 계산 결과를 비교하여 ○ 안에 >, =, <를 알맞게 써넣으시오.

31 0.12+2.51 ○ 3.02+0.51

32 4.15+2.98 ○ 2.76+5.07

[33-34] 빈칸에 알맞은 수를 써넣으시오.

33 (→ +, ↓ +)

2.3	1.87	
5.25	3.06	

34 (→ +, ↓ +)

9.62	4.58	
8.11	1.63	

[35-36] 계산 결과를 찾아 이어 보시오.

35

0.17+0.85 •	• 0.89
0.51+0.38 •	• 0.78
0.63+0.15 •	• 1.02

36

12.53+6.24 •	• 15.37
9.45+5.12 •	• 14.57
6.86+8.51 •	• 18.77

11 소수의 뺄셈

우리는 **[수학 3-1]** 덧셈과 뺄셈에서 857－189와 같은 (세 자리 수)－(세 자리 수)를 계산하는 방법을 알아보았습니다.

이런 계산은 각 자리의 숫자를 맞추어 적은 다음 같은 자리의 수끼리 빼서 다음과 같이 계산하였습니다.

$$\begin{array}{rrrr} & & 4 & 10 \\ & 8 & \not{5} & 7 \\ - & 1 & 8 & 9 \\ \hline & & & 8 \end{array}$$

십의 자리에서 받아내림하여 일의 자리를 계산하면 10＋7－9＝8

$$\begin{array}{rrrr} & 7 & 14 & 10 \\ & \not{8} & \not{5} & 7 \\ - & 1 & 8 & 9 \\ \hline & & 6 & 8 \end{array}$$

백의 자리에서 받아내림하여 십의 자리를 계산하면 100＋40－80＝60

$$\begin{array}{rrrr} & 7 & 14 & 10 \\ & \not{8} & \not{5} & 7 \\ - & 1 & 8 & 9 \\ \hline & 6 & 6 & 8 \end{array}$$

백의 자리를 계산하면 800－100－100＝600

그렇다면 1.2－0.5, 2.51－1.73과 같은 소수의 뺄셈은 어떻게 계산할까요?

소수의 뺄셈은 소수를 분수로 바꾸어 계산하거나 소수를 소수점끼리 맞추어 세로로 쓰고 같은 자리 수끼리 빼서 계산합니다.

이때 세로 계산에서 같은 자리 수끼리 뺄 수 없으면 바로 윗자리에서 10을 받아내림하여 계산하고, 3.2－1.45와 같이 소수점 아래 자리 수가 다른 소수의 뺄셈을 할 때에는 소수의 오른쪽 끝자리에 0이 있는 것으로 생각하여 자리 수를 맞추어 계산합니다.

[방법 1] 소수를 분수로 바꾸어 계산

$$1.2-0.5=\frac{12}{10}-\frac{5}{10}=\frac{7}{10}=0.7$$

$$2.51-1.73=\frac{251}{100}-\frac{173}{100}=\frac{78}{100}=0.78$$

[방법 2] 세로로 계산

$$\begin{array}{rrr} & 0 & 10 \\ & \not{1}. & 2 \\ - & 0. & 5 \\ \hline & 0. & 7 \end{array} \qquad \begin{array}{rrrr} & 1 & 14 & 10 \\ & \not{2}. & \not{5} & 1 \\ - & 1. & 7 & 3 \\ \hline & 0. & 7 & 8 \end{array}$$

1.2는 0.1이 12개이고 0.5는 0.1이 5개입니다.
즉, 1.2－0.5는 0.1이 7개이므로 0.7입니다.

3.2－1.45의 세로 계산

$$\begin{array}{rrrr} & 2 & 11 & 10 \\ & \not{3}. & \not{2} & 0 \\ - & 1. & 4 & 5 \\ \hline & 1. & 7 & 5 \end{array}$$

풍산자 비법 소수의 뺄셈 ⇨ 소수점끼리 맞추어 세로로 쓰고 같은 자리 수끼리 뺀다.

예제 따라 풀어보는 연산

예제 1 $0.7-0.4=\frac{7}{10}-\frac{4}{10}=\frac{3}{10}=0.3$

01 $2.4-1.6=$	**02** $5.1-4.6=$
03 $9.63-3.75=$	**04** $6.65-4.21=$

예제 2

$$\begin{array}{r} {\scriptstyle 1\ \ 10} \\ \not{2}.3 \\ -\ 1.5 \\ \hline 0.8 \end{array}$$

05 $\begin{array}{r} 1.8 \\ -\ 1.2 \\ \hline \end{array}$	**06** $\begin{array}{r} 2.5 \\ -\ 0.7 \\ \hline \end{array}$
07 $\begin{array}{r} 2.3 \\ -\ 1.4 \\ \hline \end{array}$	**08** $\begin{array}{r} 5.4 \\ -\ 2.9 \\ \hline \end{array}$

예제 3

$$\begin{array}{r} {\scriptstyle 4\ \ 10} \\ 1.\not{5}\,3 \\ -\ 1.3\,4 \\ \hline 0.1\,9 \end{array}$$

09 $\begin{array}{r} 0.96 \\ -\ 0.53 \\ \hline \end{array}$	**10** $\begin{array}{r} 6.48 \\ -\ 2.56 \\ \hline \end{array}$
11 $\begin{array}{r} 3.25 \\ -\ 0.17 \\ \hline \end{array}$	**12** $\begin{array}{r} 5.43 \\ -\ 1.59 \\ \hline \end{array}$

스스로 풀어보는 연산

13 $0.8-0.3=$	**14** $5.4-1.7=$
15 $2.72-0.15=$	**16** $8.55-7.63=$
17 $0.61-0.51=$	**18** $1.92-0.55=$
19 $2.65-1.82=$	**20** $8.4-1.3=$
21 $\begin{array}{r} 3.5 \\ -\ 2.1 \\ \hline \end{array}$	**22** $\begin{array}{r} 5.4 \\ -\ 3.8 \\ \hline \end{array}$
23 $\begin{array}{r} 1.68 \\ -\ 1.23 \\ \hline \end{array}$	**24** $\begin{array}{r} 2.52 \\ -\ 1.84 \\ \hline \end{array}$
25 $\begin{array}{r} 8.24 \\ -\ 3.74 \\ \hline \end{array}$	**26** $\begin{array}{r} 9.71 \\ -\ 4.9 \\ \hline \end{array}$
27 $\begin{array}{r} 6.5 \\ -\ 2.88 \\ \hline \end{array}$	**28** $\begin{array}{r} 7.32 \\ -\ 4.65 \\ \hline \end{array}$

응용 연산

[29-30] 계산 결과를 비교하여 ○ 안에 $>$, $=$, $<$를 알맞게 써넣으시오.

29 $0.61-0.13$ ○ $1.25-0.79$

30 $5.69-1.76$ ○ $7.28-2.34$

[31-32] □ 안에 알맞은 수를 써넣으시오.

31

5.3은 0.1이 □개

3.8은 0.1이 □개

5.3−3.8은 0.1이 □개

⇨ $5.3 - 3.8 = \square$

32

3.15는 0.01이 □개

1.66은 0.01이 □개

3.15−1.66은 0.01이 □개

⇨ $3.15 - 1.66 = \square$

[33-34] 빈칸에 알맞은 수를 써넣으시오.

33 (→ −, ↓ −)

5.22	2.8	
3.4	1.5	

34 (→ −, ↓ −)

8.57	2.66	
4.38	0.59	

[35-36] 계산 결과가 큰 것부터 차례대로 기호를 쓰시오.

35

㉠ $3.52-2.1$

㉡ $5.88-2.95$

㉢ $4.15-3.36$

36

㉠ $15.24-5.89$

㉡ $13.78-4.21$

㉢ $18.33-7.9$

재미있게, 우리 연산하자!

지금까지 우리는 소수의 덧셈과 뺄셈을 배웠습니다.

힘들었을 텐데, 잘 풀었어요!

자, 그럼 마지막으로 지금까지 배운 소수의 덧셈과 뺄셈을 모두 이용해서 아래 미로를 탈출해 볼까요?

마지막 ⑩에 해당하는 수를 구해 봅시다.

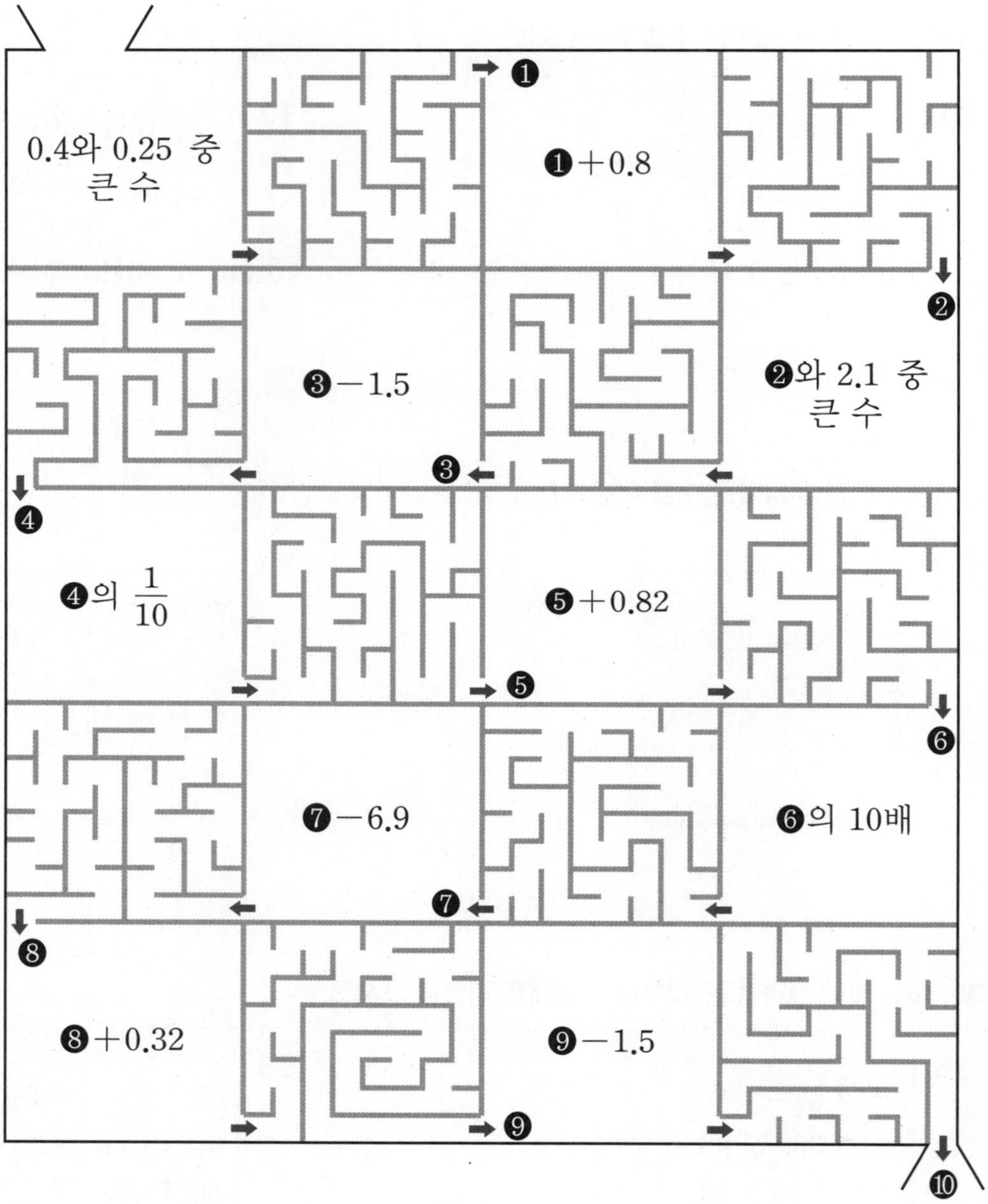

4

사각형

공부할 내용	공부한 날
12 수직	월 일
13 평행	월 일
14 여러 가지 사각형	월 일
15 평행사변형과 마름모의 성질	월 일
16 직사각형과 정사각형의 성질	월 일

12 수직

우리는 **[수학 3-1]** 평면도형에서 직각삼각형, 직사각형을 알아보았습니다.
한 각이 직각인 삼각형을 직각삼각형, 네 각이 모두 직각인 사각형을 직사각형이라고 하였습니다.

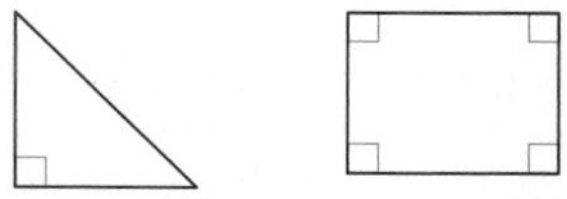

직각삼각형 직사각형

그렇다면 두 직선이 직각으로 만나는 것을 무엇이라고 할까요?
두 직선이 만나서 이루는 각이 직각일 때, 두 직선은 서로 **수직**이라고 합니다.
또 두 직선이 서로 수직으로 만나면, 한 직선을 다른 직선에 대한 **수선**이라고 합니다.

수선은 '수직인 직선'의 준말입니다.

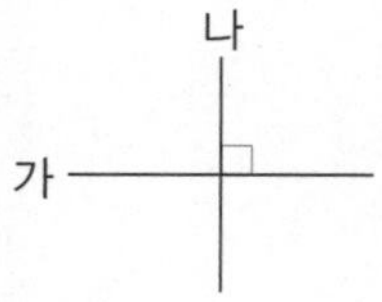

- 직선 **가**와 직선 **나**는 서로 수직입니다.
- 직선 **가**는 직선 **나**에 대한 수선입니다.
- 직선 **나**는 직선 **가**에 대한 수선입니다.

삼각자나 각도기를 사용하여 주어진 직선에 대한 수선을 그리는 방법은 다음과 같습니다.

[방법 1] 삼각자를 사용하여 수선 긋기

삼각자에서 직각을 낀 변 중 한 변을 주어진 직선에 맞추고 직각을 낀 다른 한 변을 따라 선을 긋습니다.

[방법 2] 각도기를 사용하여 수선 긋기

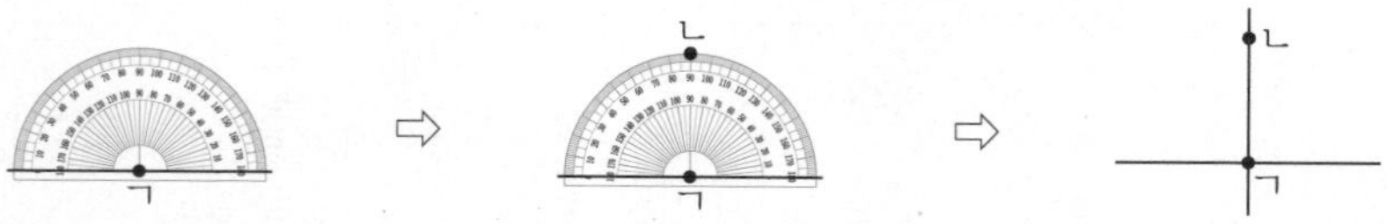

각도기의 중심을 점 ㄱ에 맞춥니다. ⇨ 90°가 되는 눈금 위에 점 ㄴ을 찍습니다. ⇨ 점 ㄱ과 점 ㄴ을 직선으로 잇습니다.

각도기를 사용하여 수선을 그으면 90°를 정확하게 측정할 수 있습니다.

풍산자 비법

수직 ⇨ 두 직선이 만나서 이루는 각이 직각일 때, 두 직선은 서로 수직이다.

예제 따라 풀어보는 연산

예제 1 두 직선이 서로 수직이면 ○표, 수직이 아니면 ×표 하시오.

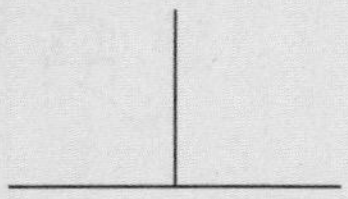

(○)

01

(　　)

02

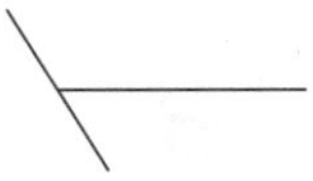

(　　)

03

(　　)

예제 2 직선 '가'에 대한 수선을 찾아 쓰시오.

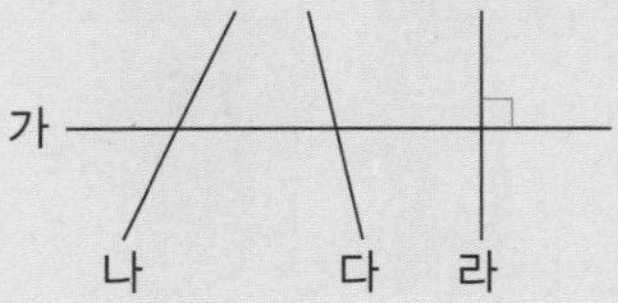

⇨ 직선 '라'

04

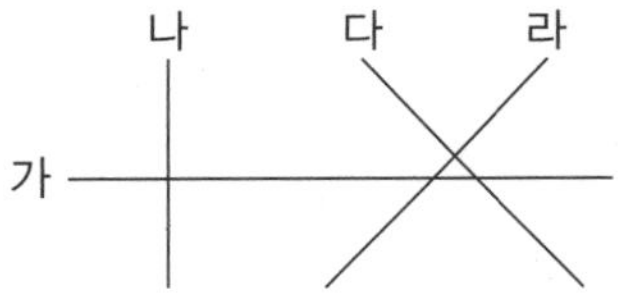

⇨

05

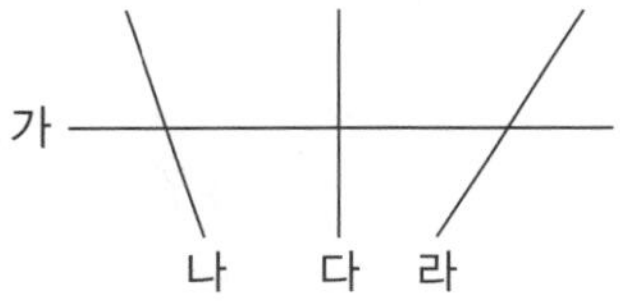

⇨

06

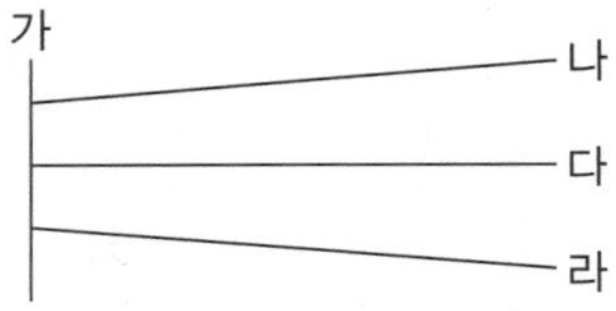

⇨

예제 3 도형에서 서로 수직인 변은 모두 몇 쌍인지 구하시오.

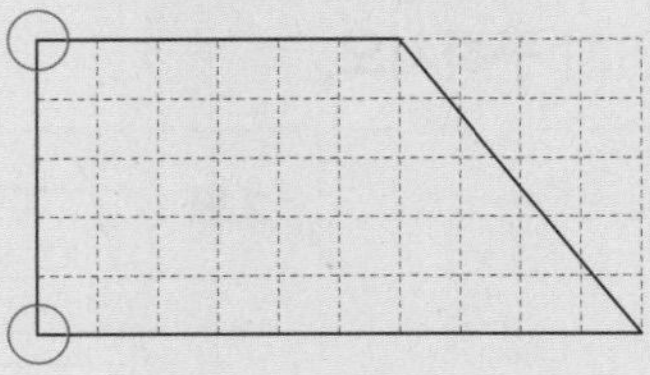

⇨ 2쌍

07

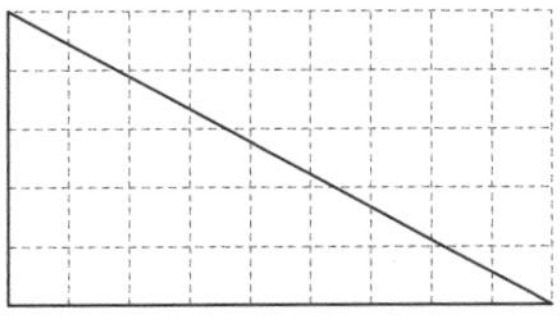

⇨

08

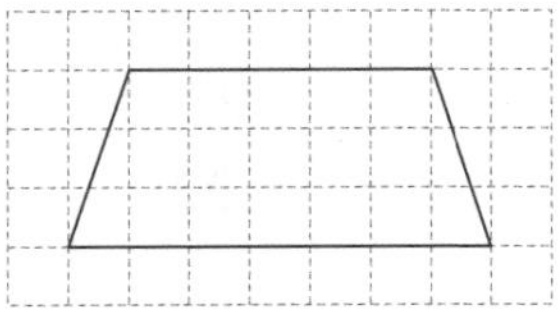

⇨

09

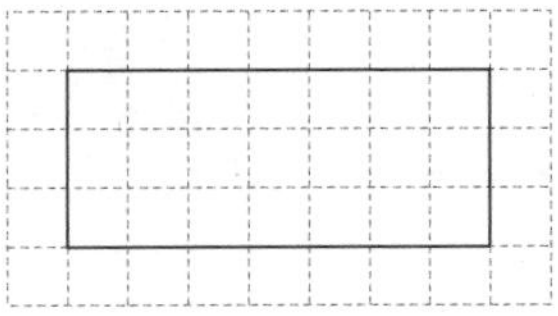

⇨

스스로 풀어보는 연산

[10-13] 두 직선이 만나서 이루는 각이 직각인 곳을 모두 찾아 ∟로 표시하시오.

10

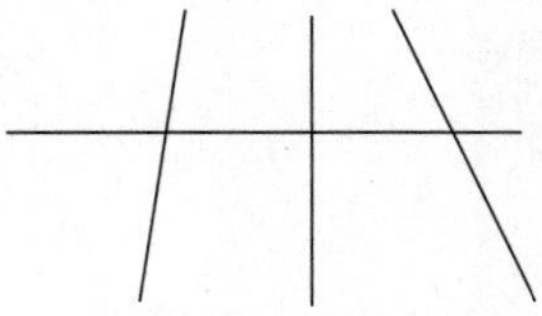

11

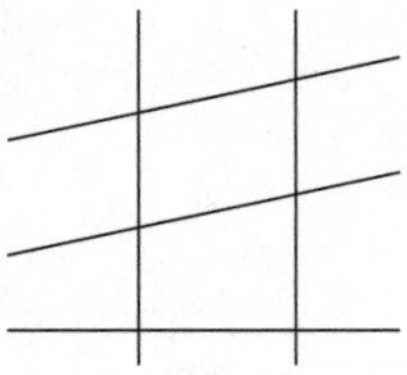

12

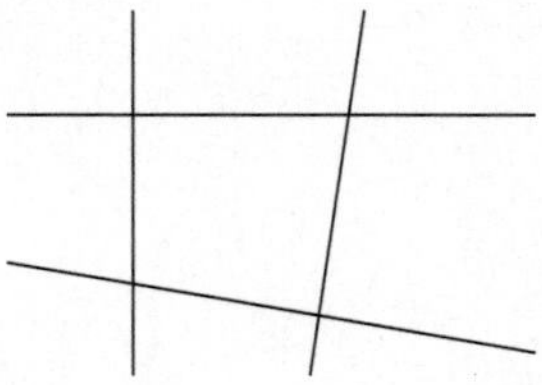

13

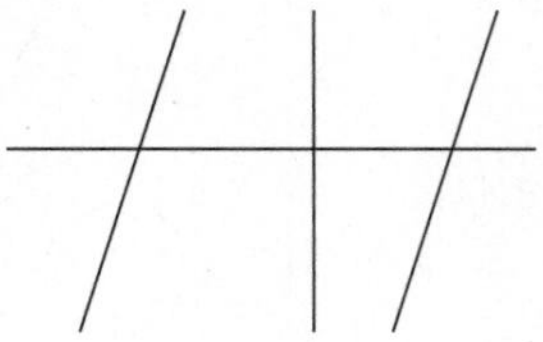

[14-17] 직선 '가'에 대한 수선을 모두 찾아 쓰시오.

14

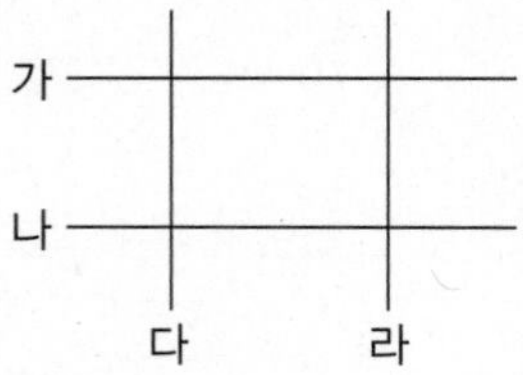

15

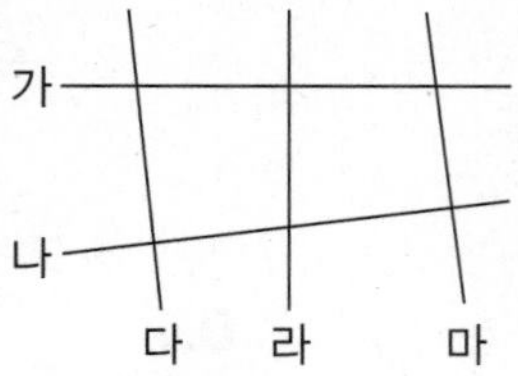

16

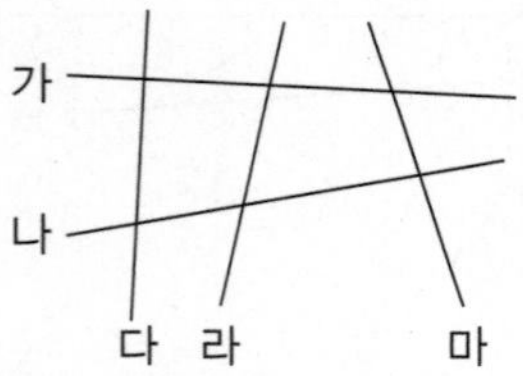

17

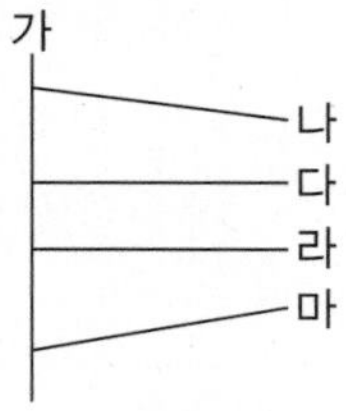

[18-21] 도형에서 수직인 변은 모두 몇 쌍인지 구하시오.

18

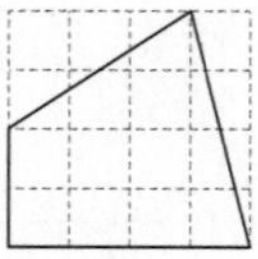

19

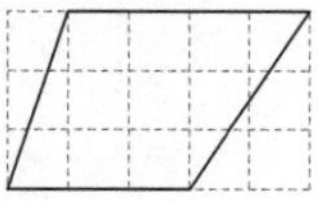

20

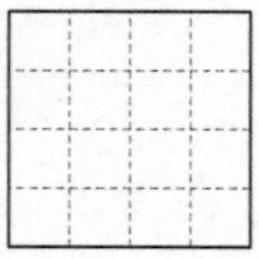

21

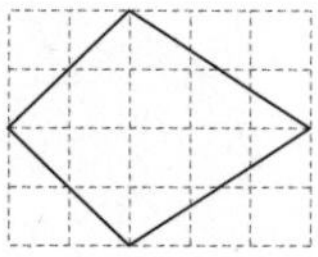

응용 연산

[22-23] 직선 '가'와 수직인 직선을 모두 찾아 쓰시오.

22

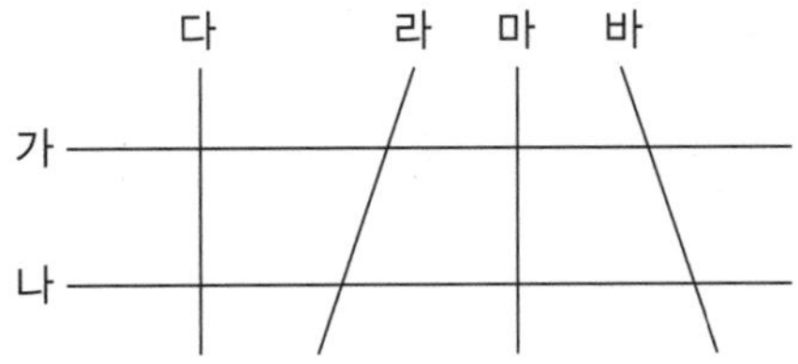

23

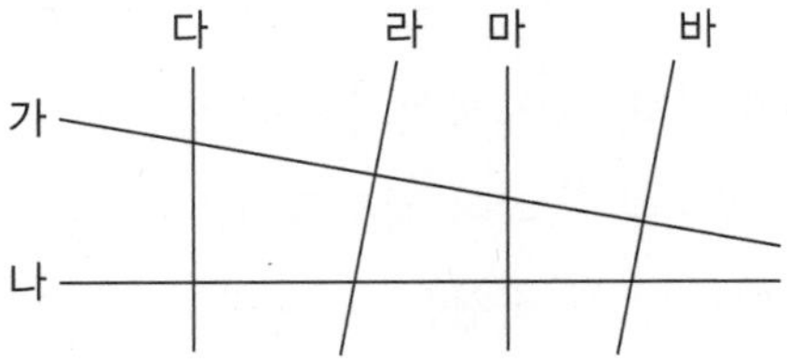

[24-25] 각도기와 삼각자를 사용하여 직선 '가'에 대한 수선을 그어 보시오.

24 각도기 사용

25 삼각자 사용

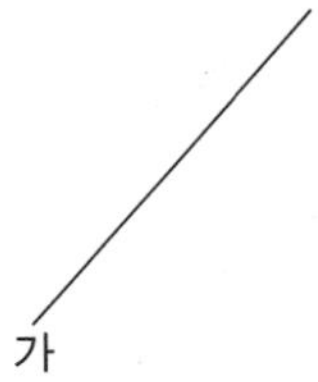

[26-27] 주어진 변에 대한 수선을 찾아 쓰시오.

26 변 ㄱㄴ

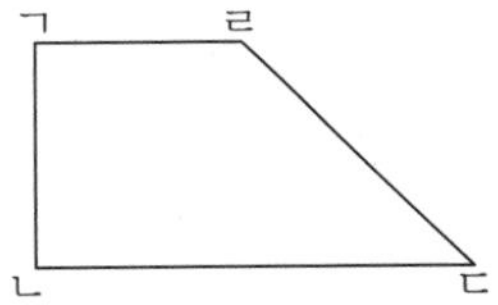

27 변 ㄷㄹ

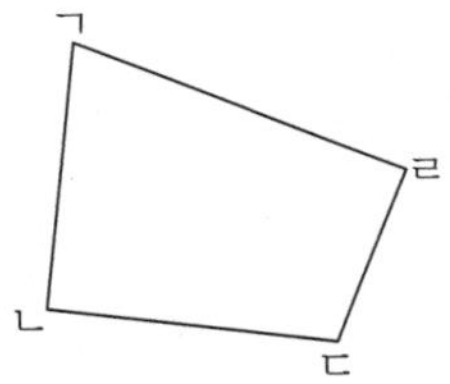

[28-29] 두 직선이 만나서 이루는 각이 직각인 곳을 모두 찾아 ⊾로 표시하시오.

28

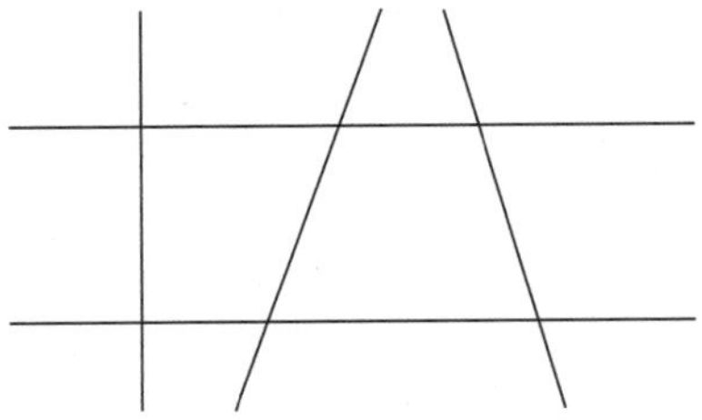

29

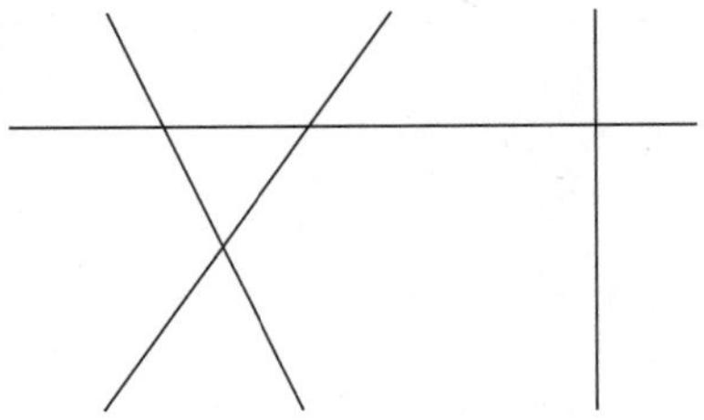

13 평행

우리는 앞 단원에서 두 직선의 수직을 알아보았습니다.
두 직선이 만나서 이루는 각이 직각일 때 두 직선은 서로 수직이라고 하고, 두 직선이 서로 수직으로 만나면 한 직선을 다른 직선에 대한 수선이라고 하였습니다.

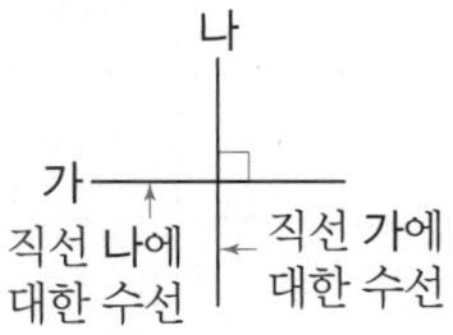

그렇다면 두 직선이 만나지 않는 것을 무엇이라고 할까요?
한 직선에 수직인 두 직선을 그었을 때, 그 두 직선은 서로 만나지 않습니다. 이와 같이 서로 만나지 않는 두 직선을 **평행**하다고 합니다.

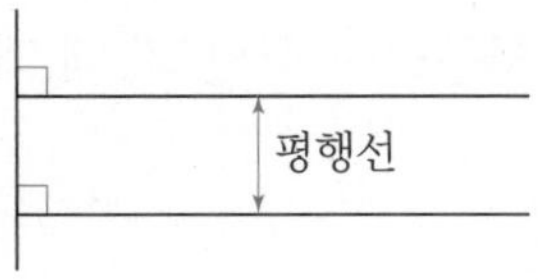

이때 평행한 두 직선을 **평행선**이라고 합니다.
평행선의 한 직선에서 다른 직선에 수선을 그을 때, 이 수선의 길이를 **평행선 사이의 거리**라고 합니다.

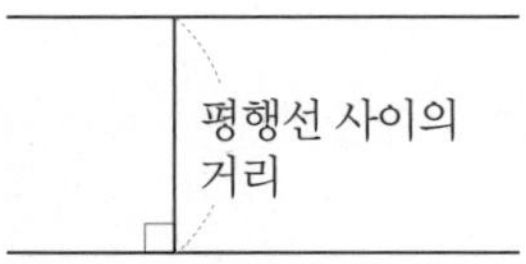

평행선 사이의 선분 중에서 수선의 길이가 가장 짧고, 그 길이는 모두 같습니다.

삼각자를 사용하여 주어진 직선과 평행한 직선을 그리는 방법은 다음과 같습니다.

[방법 1] 주어진 직선과 평행한 직선 긋기

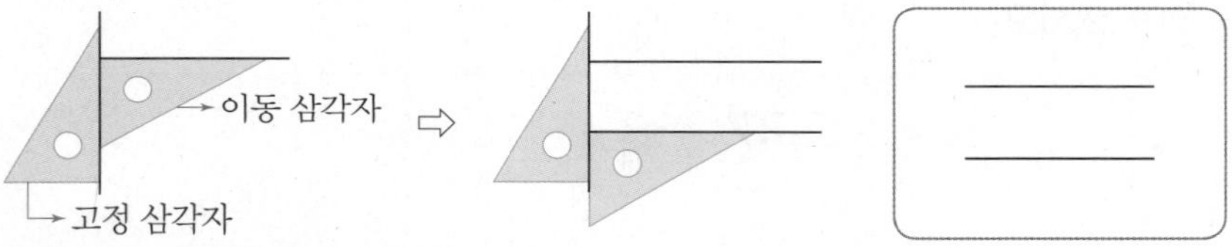

고정 삼각자의 한 변을 직선에 맞춥니다.
이동 삼각자를 그 변을 따라 움직여 평행선을 긋습니다.

[방법 2] 한 점을 지나고 주어진 직선과 평행한 직선 긋기

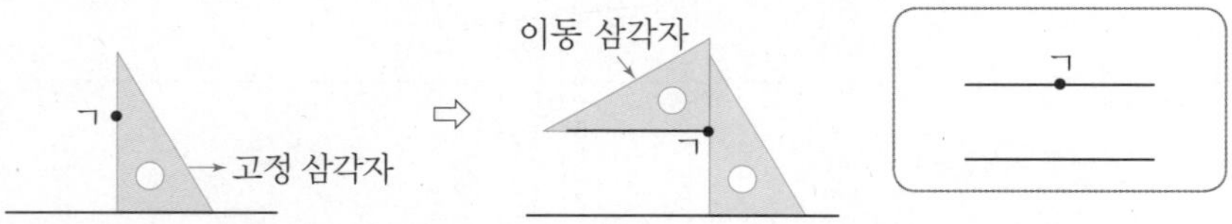

고정 삼각자의 한 변을 직선에 맞추고 다른 한 변이 점 ㄱ을 지나도록 놓습니다.
이동 삼각자를 사용하여 점 ㄱ을 지나고 주어진 직선과 평행한 직선을 긋습니다.

주어진 직선과 평행한 직선은 무수히 많습니다.

한 점을 지나고 주어진 직선과 평행한 직선은 1개뿐입니다.

풍산자 비법

평행 ⇨ 서로 만나지 않는 두 직선을 평행하다고 한다.

예제 따라 풀어보는 연산

예제 1 서로 평행한 두 직선을 모두 찾아 쓰시오.

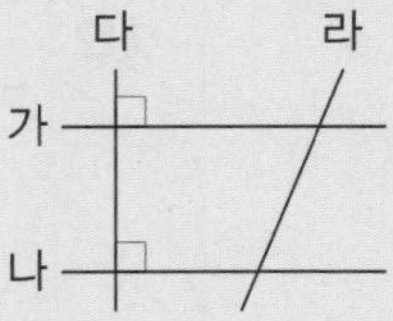

⇨ 직선 '가'와 직선 '나'

01

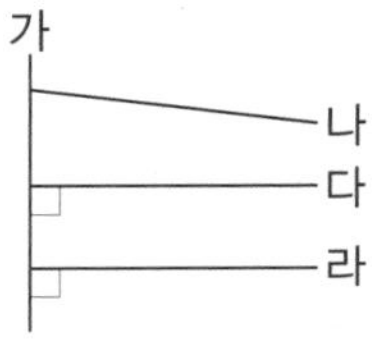

⇨

02

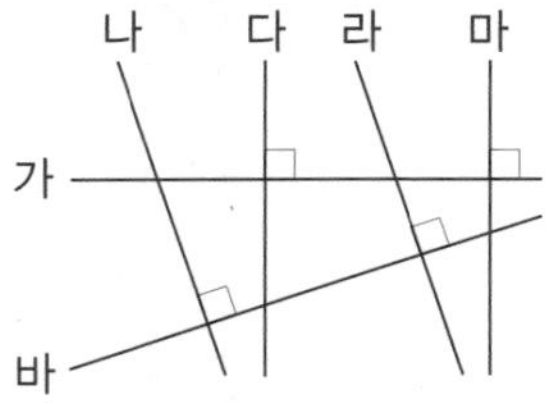

⇨

03

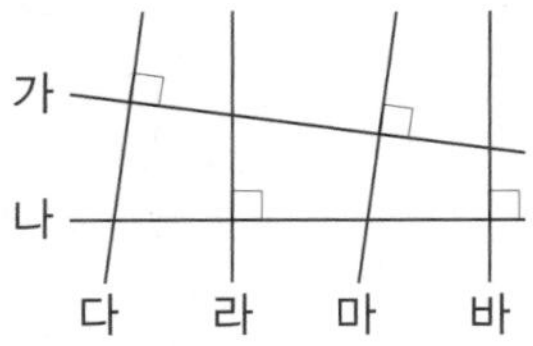

⇨

예제 2 도형에서 서로 평행한 변을 모두 찾아 쓰시오.

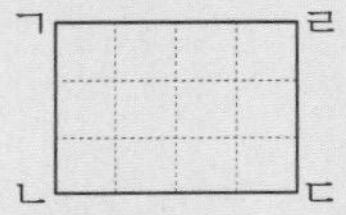

⇨ 변 ㄱㄴ과 변 ㄹㄷ, 변 ㄱㄹ과 변 ㄴㄷ

04

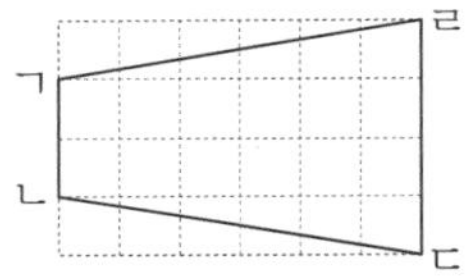

⇨

05

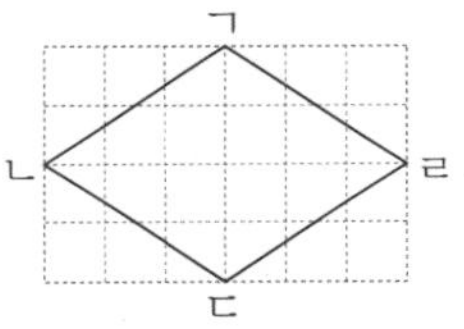

⇨

06

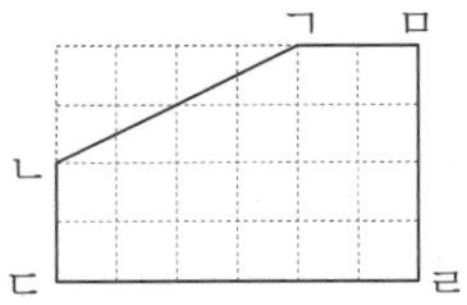

⇨

예제 3 직선 '가'와 직선 '나'는 서로 평행합니다. 평행선 사이의 거리를 나타내는 선분을 찾으시오.

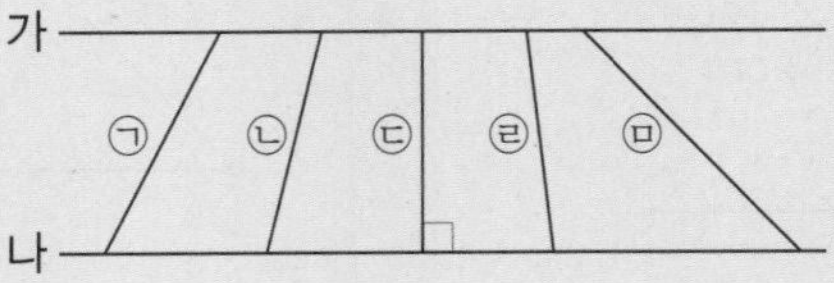

⇨ 선분 ㉢

07

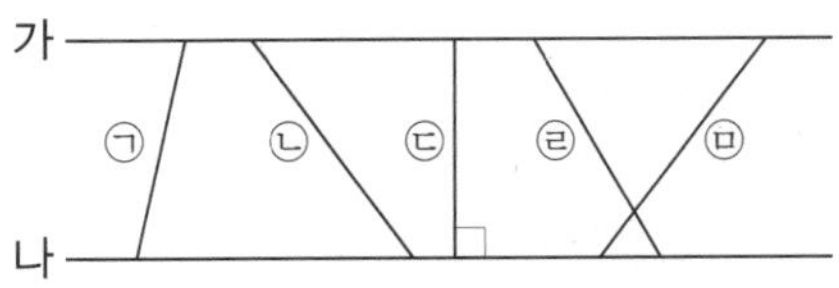

⇨

08

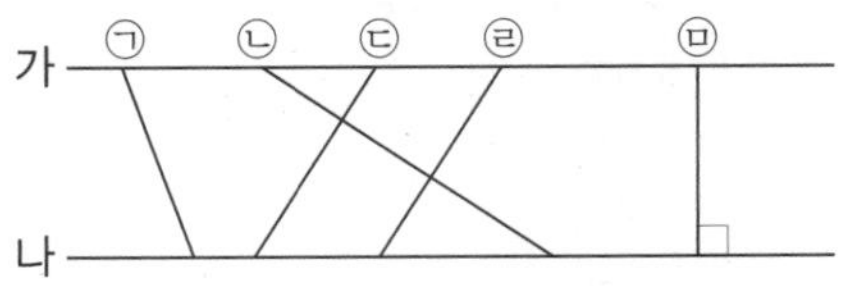

⇨

스스로 풀어보는 연산

[09-12] 평행선을 모두 찾아 쓰시오.

09

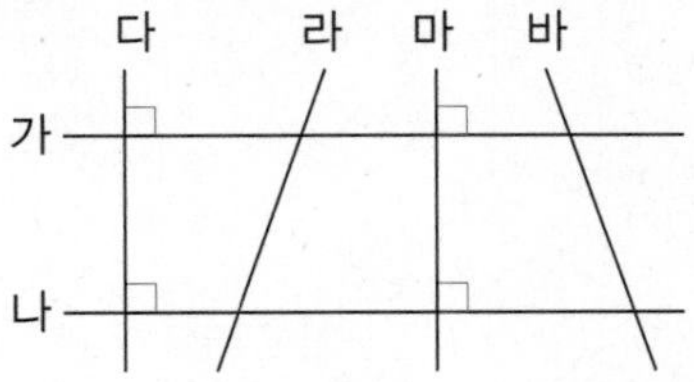

10

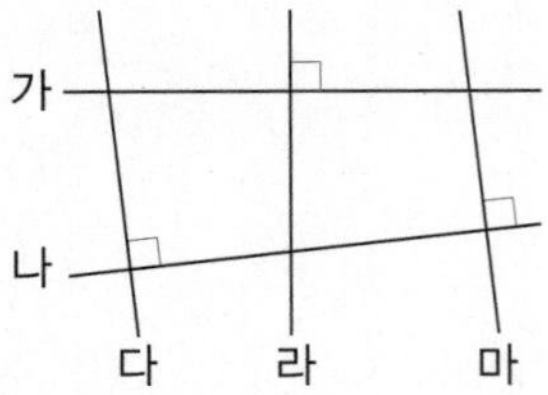

11

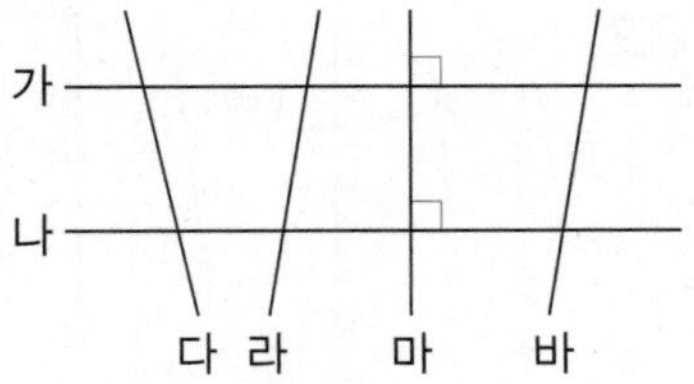

12

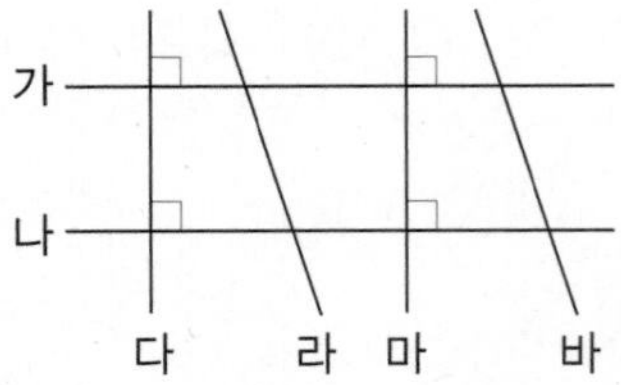

[13-16] 도형에서 서로 평행한 변을 모두 찾아 쓰시오.

13

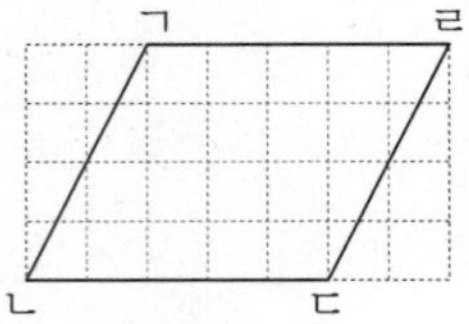

14

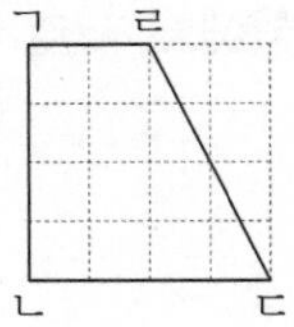

15

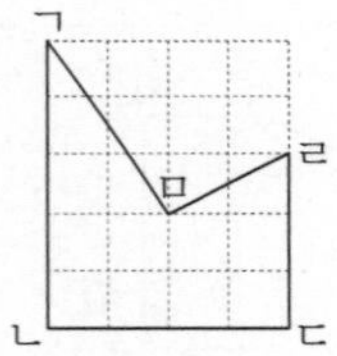

16

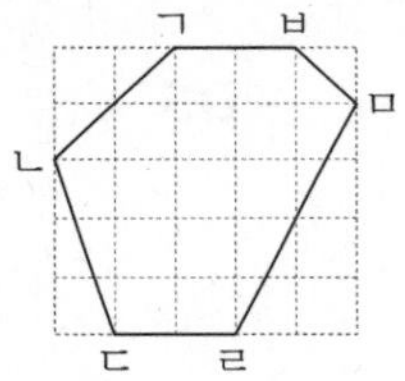

[17-20] 평행선 사이의 거리는 몇 cm인지 구하시오.

17

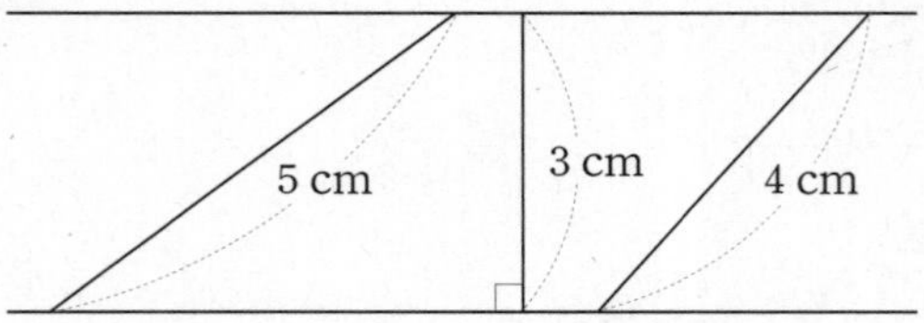

18

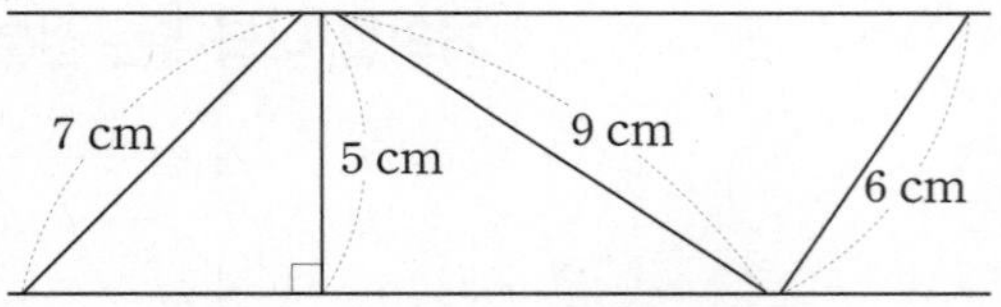

19

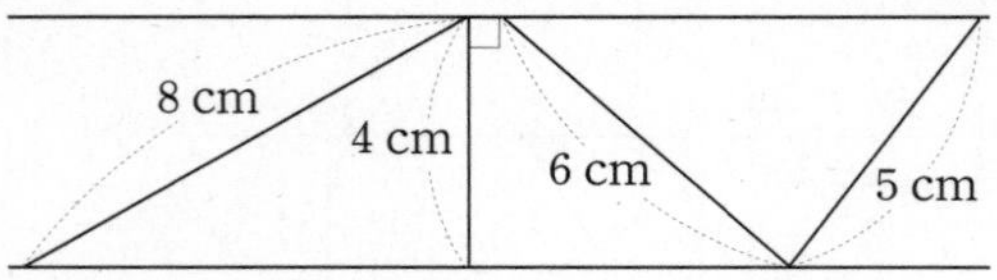

20

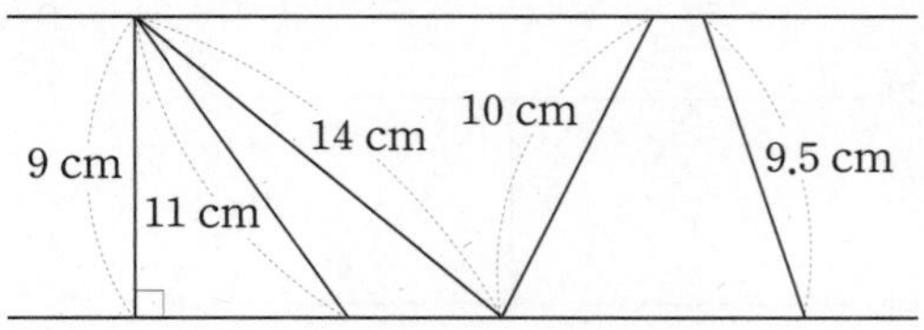

응용 연산

[21-22] 주어진 길이가 평행선 사이의 거리가 되도록 평행선을 그어 보시오.

21 2 cm

22 3.5 cm

[23-24] 평행선에 대해 잘못 설명한 친구는 누구인지 쓰시오.

23

영미: 평행한 두 직선이 이루는 각은 직각이야.

서진: 서로 만나지 않는 두 직선을 평행하다고 해.

24

민주: 평행선 사이의 거리는 어디에서 재느냐에 따라 달라져.

지민: 한 직선과 평행한 직선은 무수히 많아.

[25-26] 평행선이 있는 사각형을 그리시오.

25

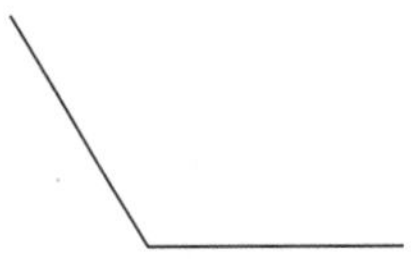

26

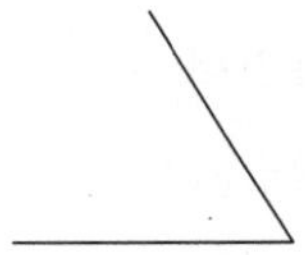

[27-28] 도형에서 주어진 변과 평행한 변을 찾고, 평행선 사이의 거리를 구하시오.

27 변 ㄱㄹ

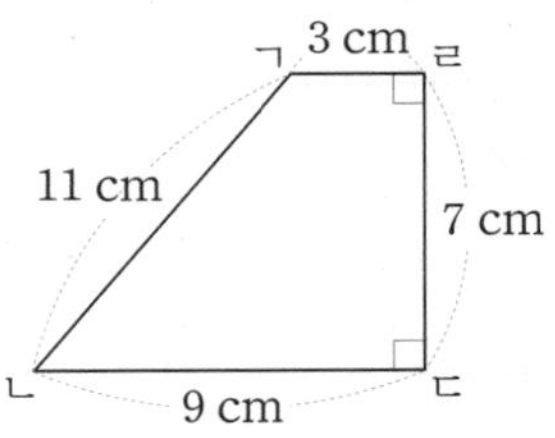

28 변 ㄷㄹ

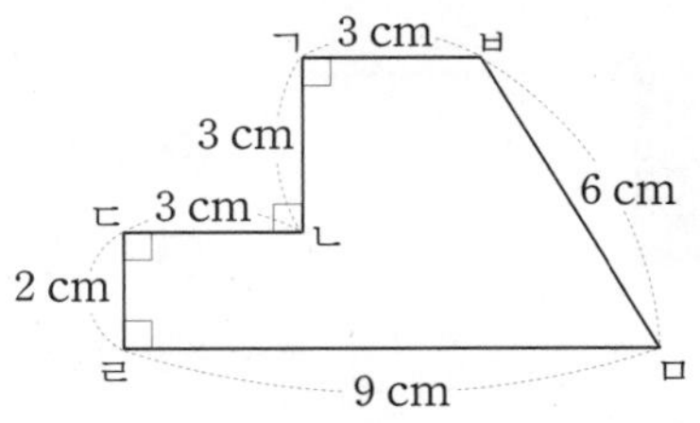

14 여러 가지 사각형

우리는 **[수학 3-1]** 평면도형에서 직각삼각형, 직사각형, 정사각형을 알아보았습니다. 한 각이 직각인 삼각형을 직각삼각형, 네 각이 모두 직각인 사각형을 직사각형, 네 각이 모두 직각이고 네 변의 길이가 모두 같은 사각형을 정사각형이라고 하였습니다.

그렇다면 직사각형, 정사각형과 다른 사각형에는 어떤 사각형이 있을까요? 여러 가지 사각형을 살펴보면 평행한 변이 한 쌍인 사각형도 있고, 평행한 변이 두 쌍인 사각형도 있으며, 평행한 변이 한 쌍도 없는 사각형도 있습니다. 이때 평행한 변이 한 쌍이거나 두 쌍인 사각형, 즉 평행한 변이 한 쌍이라도 있는 사각형을 **사다리꼴**이라고 하고, 마주 보는 두 쌍의 변이 서로 평행한 사각형을 **평행사변형**이라고 합니다.

평행한 변이 두 쌍인 평행사변형도 사다리꼴입니다.

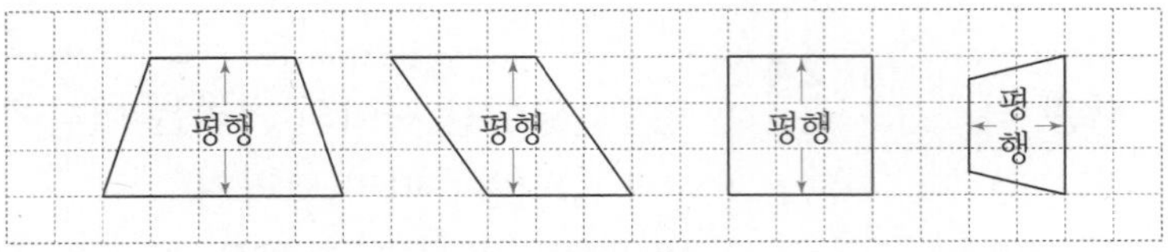

사다리꼴

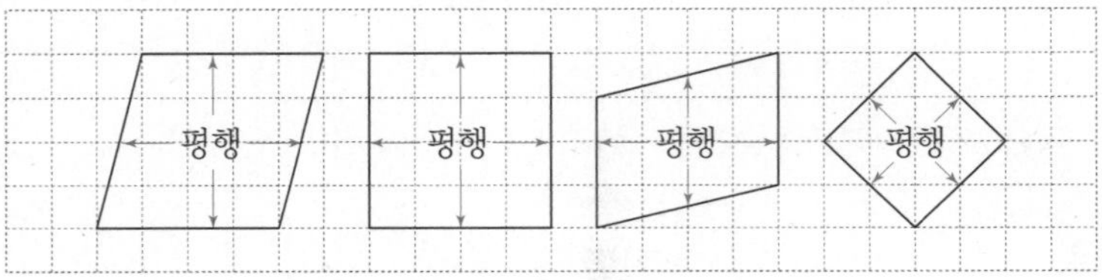

평행사변형

또한, 여러 가지 평행사변형을 살펴보면 네 변의 길이가 모두 같은 사각형도 있고, 네 변의 길이가 모두 같지는 않은 사각형도 있습니다.
이때 네 변의 길이가 모두 같은 사각형을 **마름모**라고 합니다.

마름모는 마주 보는 두 쌍의 변이 서로 평행하므로 사다리꼴이고 평행사변형입니다.

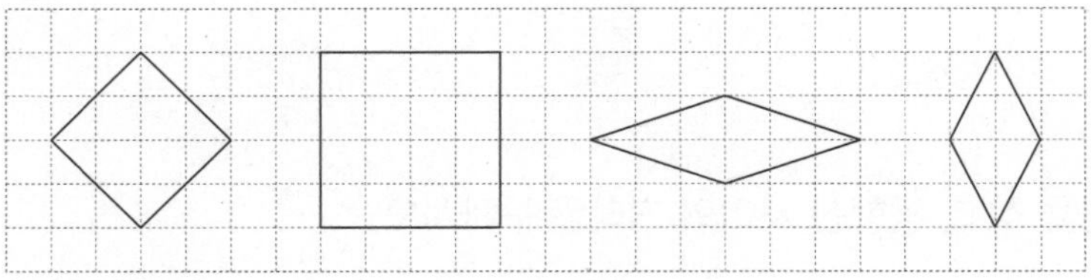

마름모

풍산자 비법

❶ 사다리꼴 ⇨ 평행한 변이 한 쌍이라도 있는 사각형
❷ 평행사변형 ⇨ 마주 보는 두 쌍의 변이 서로 평행한 사각형
❸ 마름모 ⇨ 네 변의 길이가 모두 같은 사각형

예제 따라 풀어보는 연산

예제 1 사다리꼴을 모두 찾아 기호를 쓰시오.

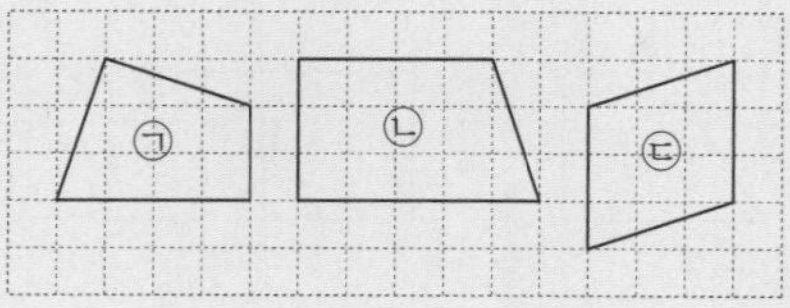

⇨ ㉡, ㉢

01

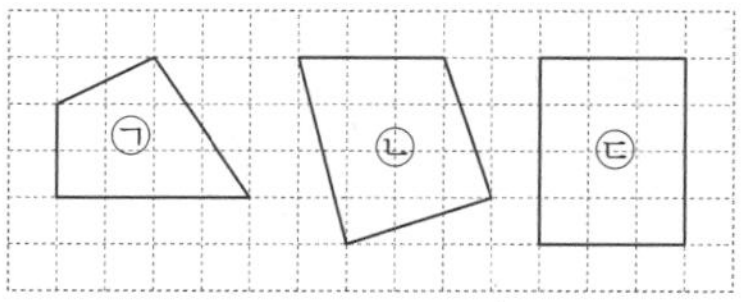

02

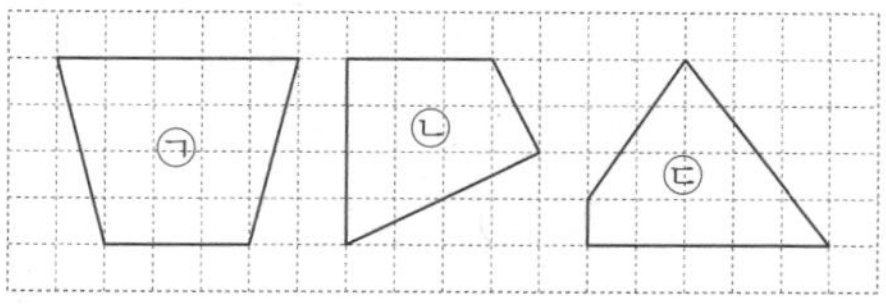

03

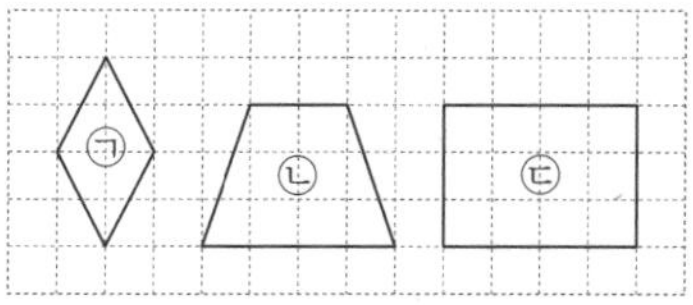

04

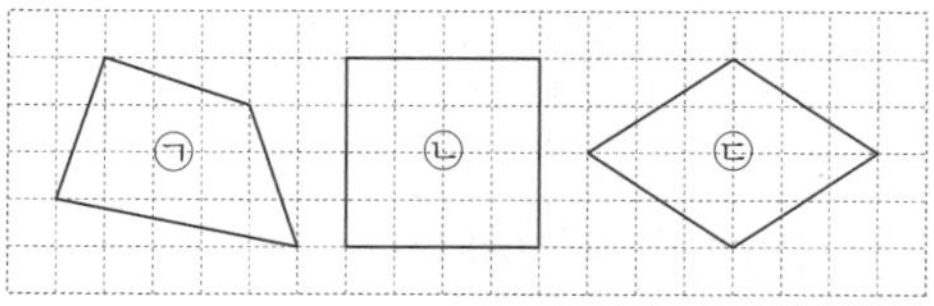

예제 2 평행사변형을 모두 찾아 기호를 쓰시오.

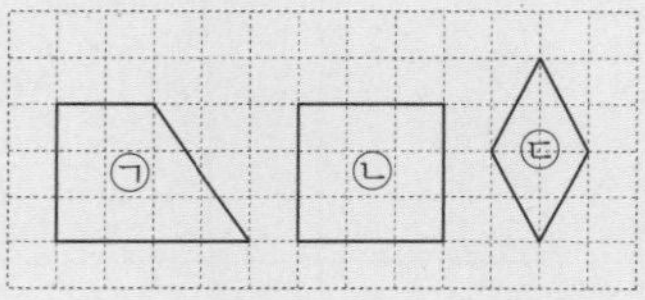

⇨ ㉡, ㉢

05

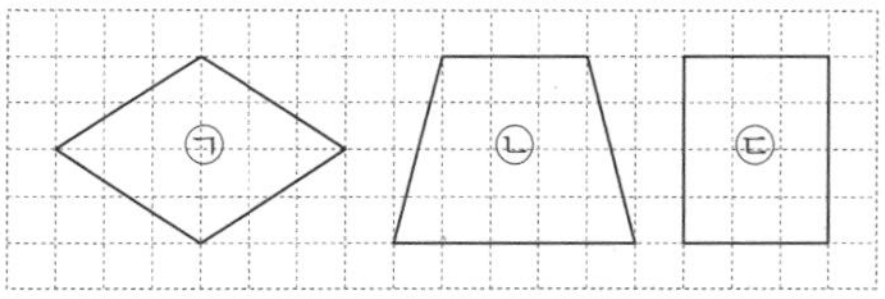

06

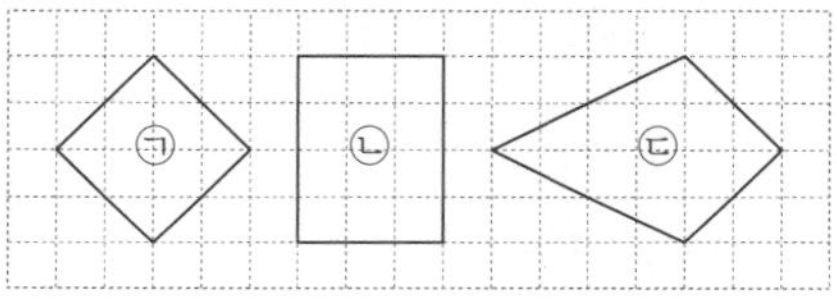

07

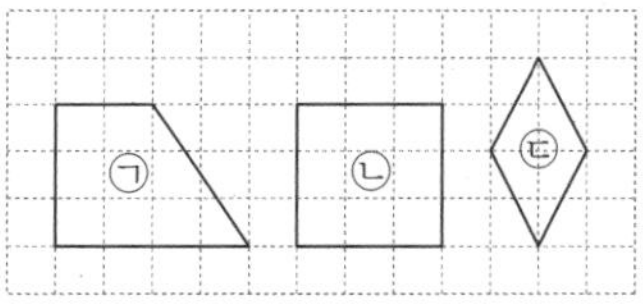

08

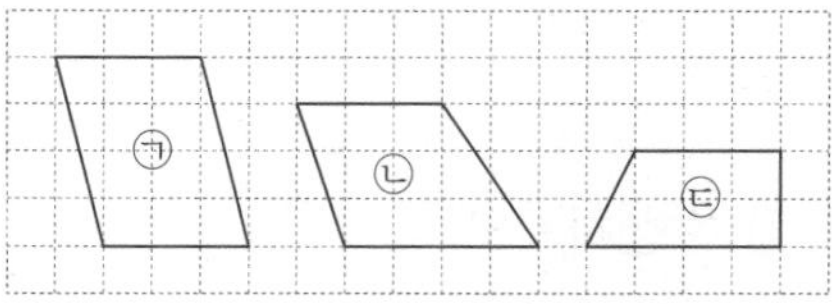

예제 3 마름모이면 ○표, 아니면 ×표 하시오.

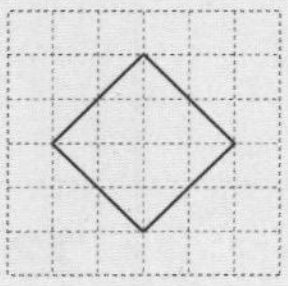

(○)

09

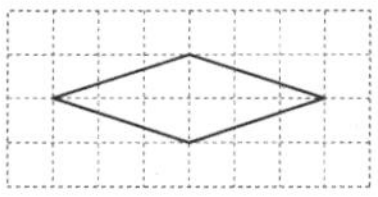

(　　　)

10

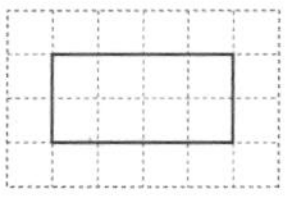

(　　　)

11

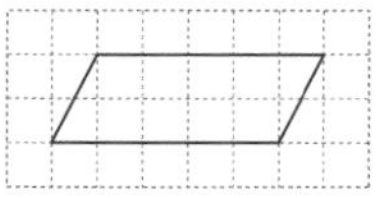

(　　　)

12

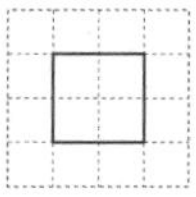

(　　　)

스스로 풀어보는 연산

[13-15] 주어진 사각형을 찾아 기호를 쓰시오.

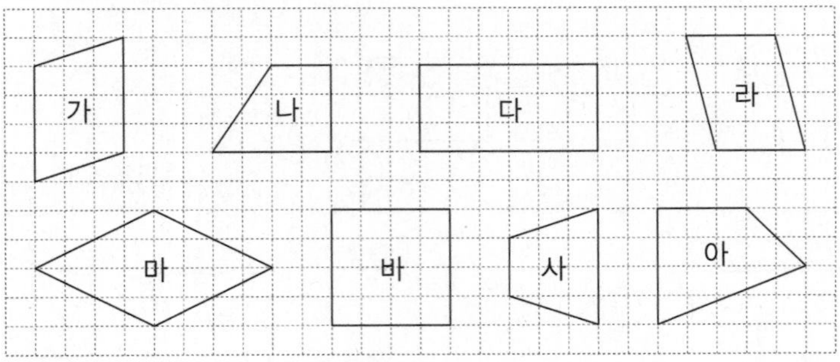

13 사다리꼴 ⇨	**14** 평행사변형 ⇨	**15** 마름모 ⇨

[16-19] 평행사변형을 완성하시오.

16

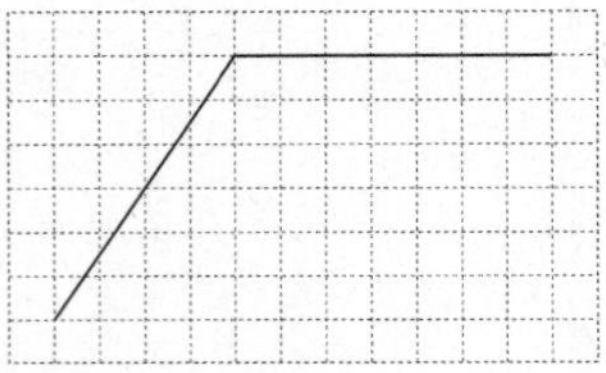

17

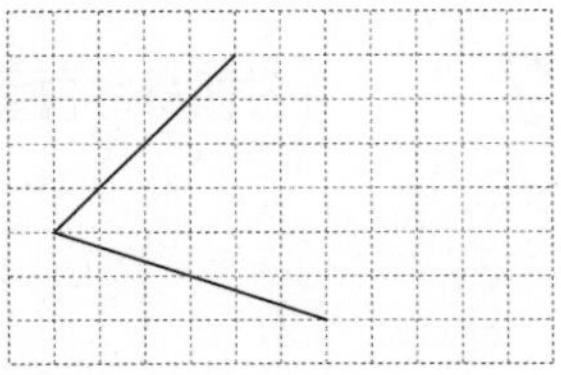

18

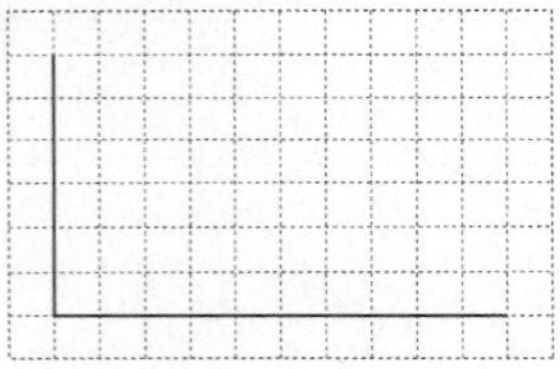

19

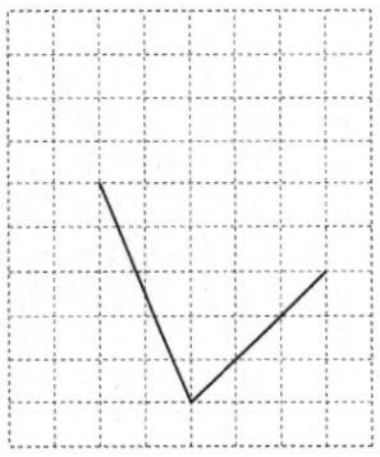

[20-23] 마름모를 완성하시오.

20

21

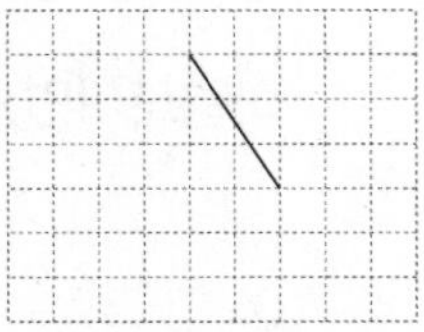

22

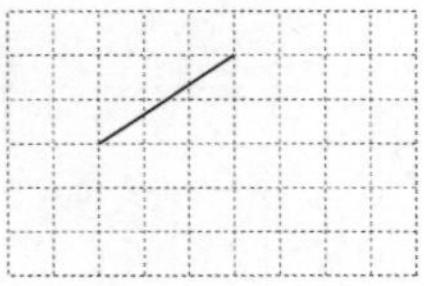

23

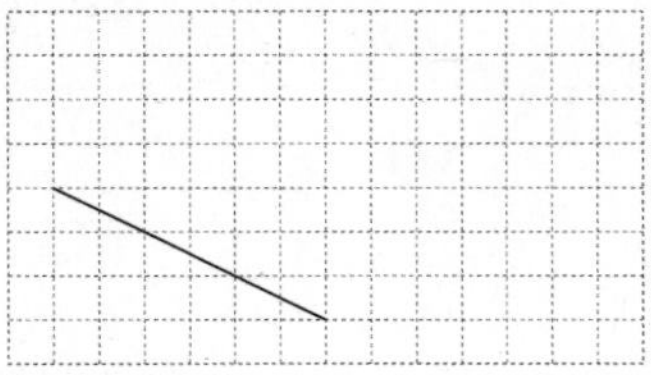

응용 연산

[24-25] 사각형에 대한 설명으로 옳지 않은 것을 찾아 기호를 쓰시오.

24

㉠ 마주 보는 한 쌍의 변이 평행한 사각형은 사다리꼴입니다.

㉡ 마름모에서 길이가 같은 변은 2개입니다.

25

㉠ 평행사변형에서 평행한 변은 1쌍입니다.

㉡ 마름모는 사다리꼴입니다.

[26-27] 사각형의 이름이 될 수 있는 것을 모두 쓰시오.

26

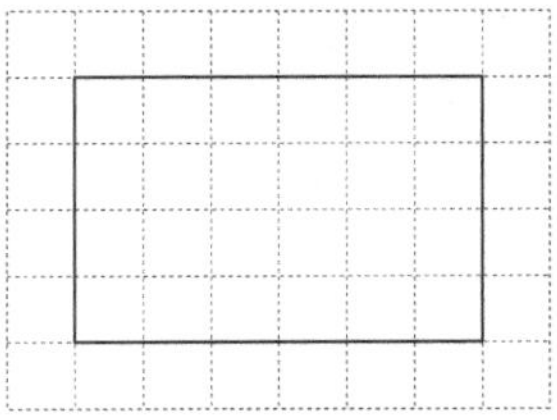

27

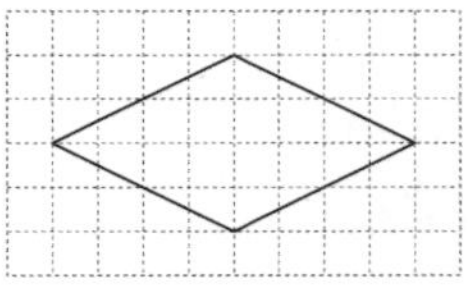

[28-29] 사다리꼴을 완성하시오.

28

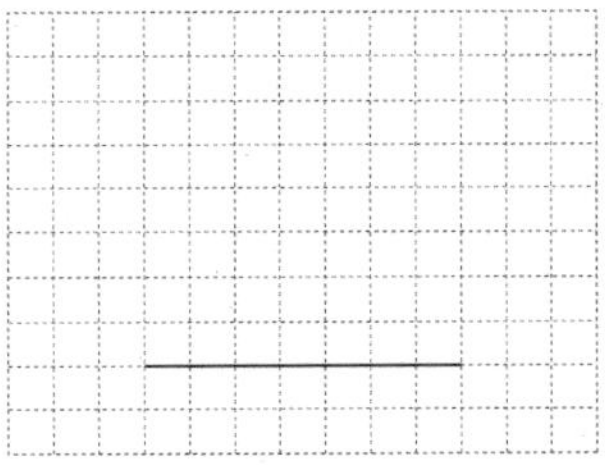

29

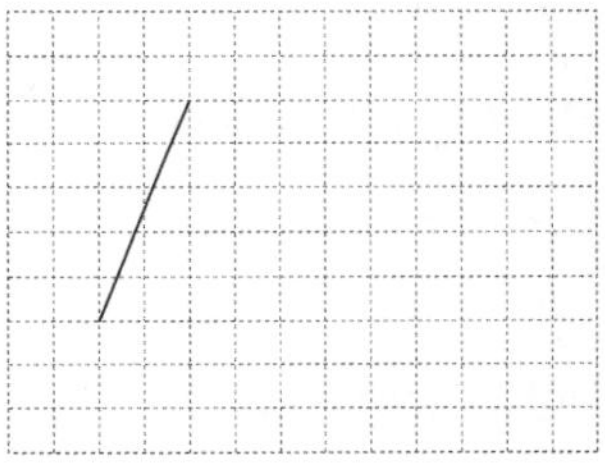

[30-31] □ 안에 알맞은 수를 써넣으시오.

30

한 변의 길이가 9 cm인 마름모가 있습니다. 마름모의 네 변의 길이의 합은 □ cm입니다.

31

길이가 60 m인 끈이 있습니다. 이 끈으로 마름모를 만들 때, 만들 수 있는 가장 큰 마름모의 한 변의 길이는 □ m입니다.

15 평행사변형과 마름모의 성질

우리는 앞 단원에서 사다리꼴, 평행사변형, 마름모를 알아보았습니다.
평행한 변이 한 쌍이라도 있는 사각형을 사다리꼴, 마주 보는 두 쌍의 변이 서로 평행한 사각형을 평행사변형, 네 변의 길이가 모두 같은 사각형을 마름모라고 하였습니다.

그렇다면 평행사변형과 마름모는 어떤 성질이 있을까요?
평행사변형에서 변의 길이와 각의 크기를 재면 다음과 같은 평행사변형의 성질을 알 수 있습니다.

- 마주 보는 두 변의 길이는 같습니다.
  ⇨ (변 ㄱㄹ)=(변 ㄴㄷ), (변 ㄱㄴ)=(변 ㄹㄷ)
- 마주 보는 두 각의 크기는 같습니다.
  ⇨ (각 ㄱㄴㄷ)=(각 ㄷㄹㄱ), (각 ㄴㄱㄹ)=(각 ㄹㄷㄴ)
- 이웃한 두 각의 크기의 합은 180°입니다.
  ⇨ ㉠+㉡=180°

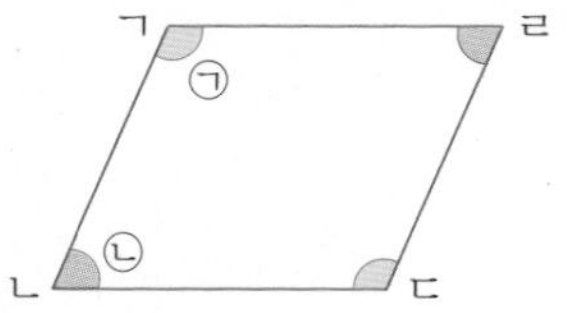

마름모에서 변의 길이와 각의 크기, 마주 보는 꼭짓점끼리 선분을 이어 보면 다음과 같은 마름모의 성질을 알 수 있습니다.

- 네 변의 길이가 모두 같습니다.
  ⇨ (변 ㄱㄴ)=(변 ㄴㄷ)=(변 ㄷㄹ)=(변 ㄹㄱ)
- 마주 보는 두 각의 크기는 같습니다.
  ⇨ (각 ㄱㄴㄷ)=(각 ㄷㄹㄱ), (각 ㄴㄱㄹ)=(각 ㄹㄷㄴ)
- 이웃한 두 각의 크기의 합은 180°입니다.
  ⇨ ㉠+㉡=180°
- 마주 보는 꼭짓점끼리 이은 선분이 서로 수직으로 만나고 이등분합니다.
  ⇨ (각 ㄱㅁㄴ)=(각 ㄴㅁㄷ)=(각 ㄷㅁㄹ)=(각 ㄹㅁㄱ)=90°
  ⇨ (변 ㄱㅁ)=(변 ㄷㅁ), (변 ㄴㅁ)=(변 ㄹㅁ)

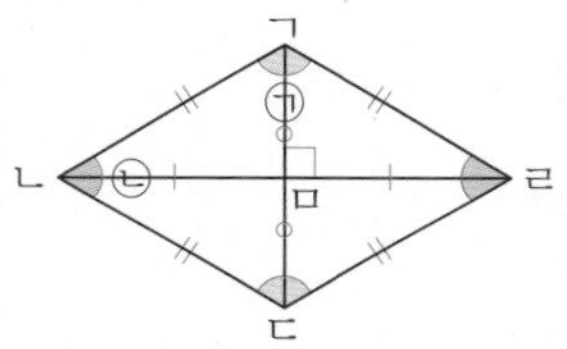

마름모는 마주 보는 두 쌍의 변이 서로 평행하므로 평행사변형입니다.
따라서 마름모는 평행사변형의 성질을 모두 만족합니다.

풍산자 비법

❶ 평행사변형의 성질 ⇨ 마주 보는 두 변의 길이와 마주 보는 두 각의 크기가 같고, 이웃한 두 각의 크기의 합은 180°이다.

❷ 마름모의 성질 ⇨ 마주 보는 꼭짓점끼리 이은 선분이 서로 수직으로 만나고 이등분한다.

예제 따라 풀어보는 연산

예제 1 도형은 평행사변형입니다. □ 안에 알맞은 수를 써넣으시오.

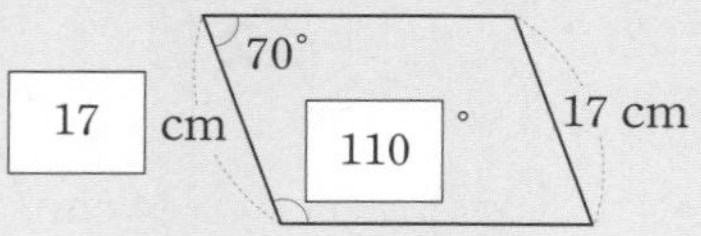

01

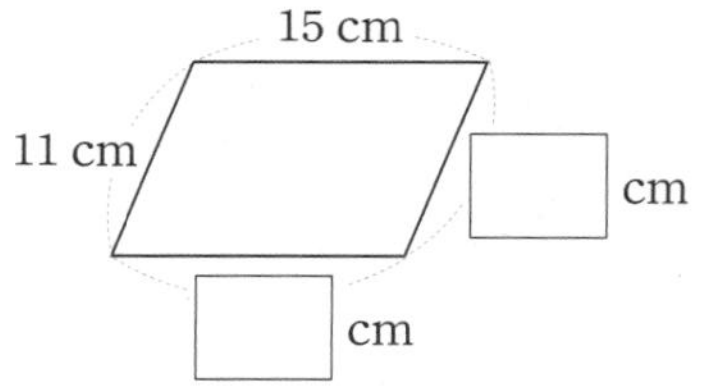

02

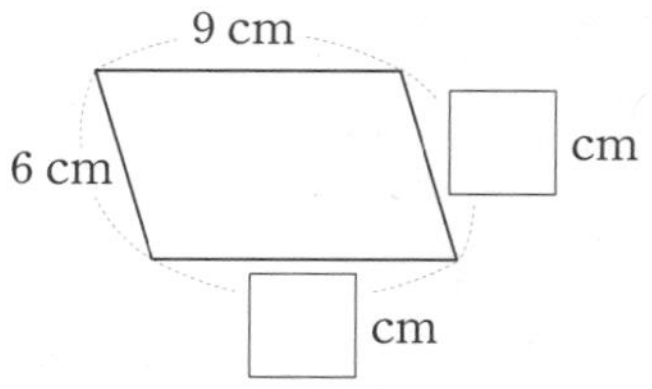

03

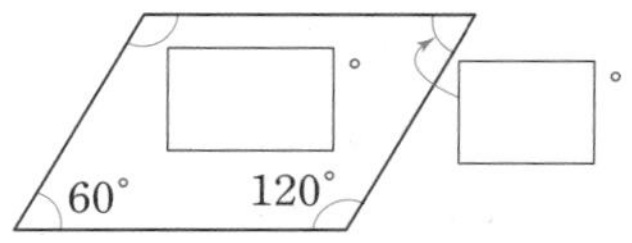

04

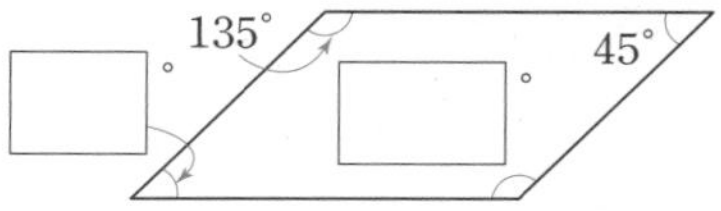

예제 2 도형은 마름모입니다. □ 안에 알맞은 수를 써넣으시오.

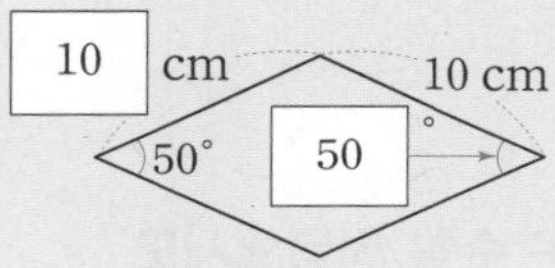

05

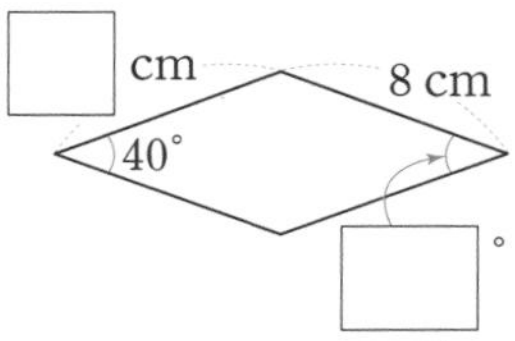

06

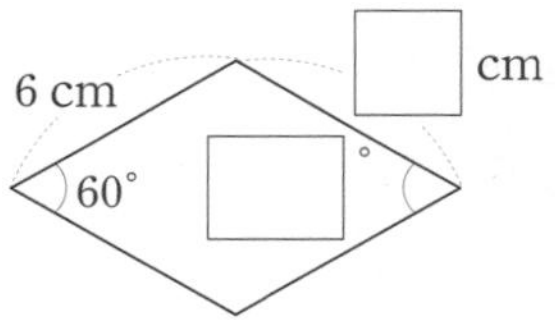

07

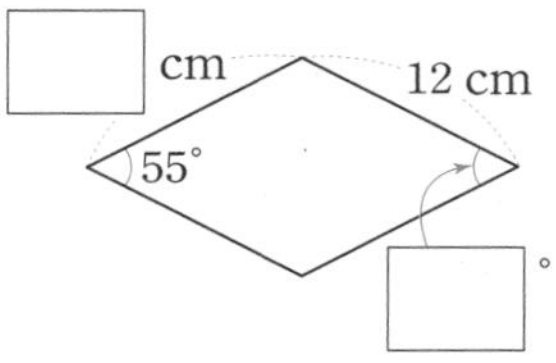

08

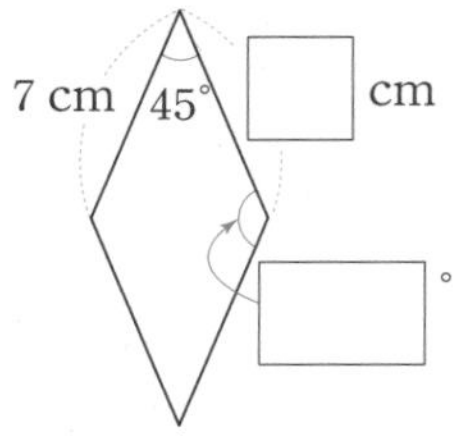

09

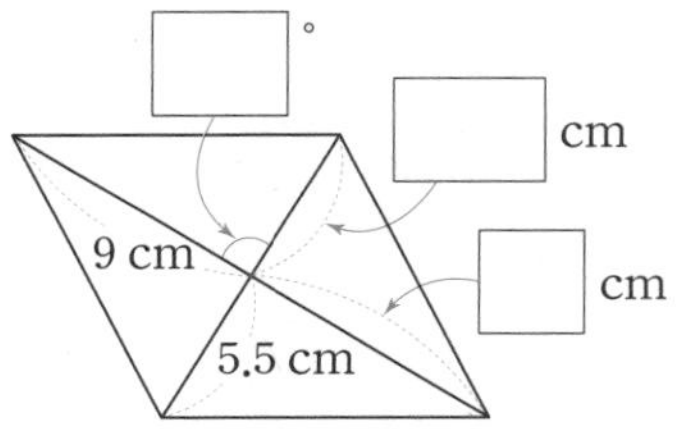

10

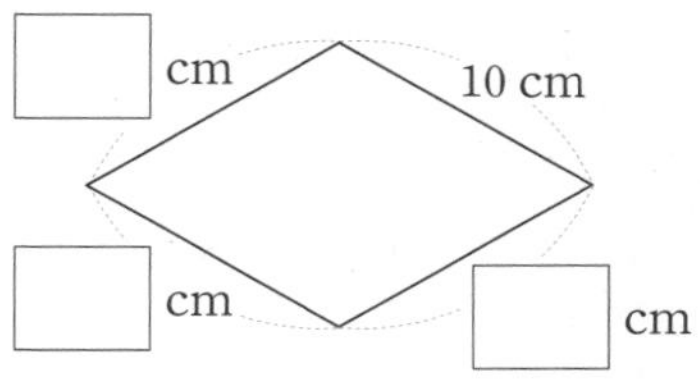

스스로 풀어보는 연산

[11-16] 도형은 평행사변형입니다. □ 안에 알맞은 수를 써넣으시오.

11

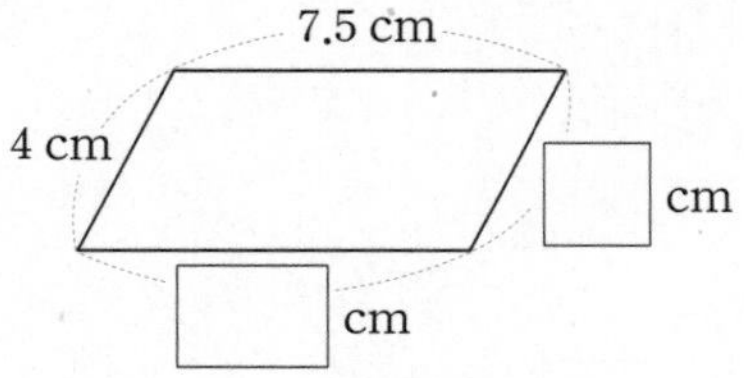

12

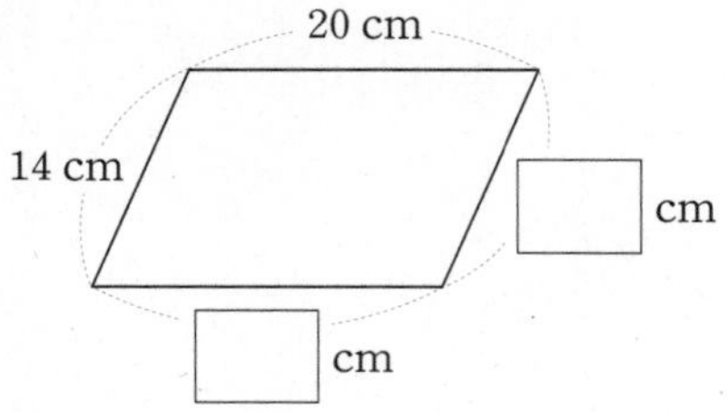

13

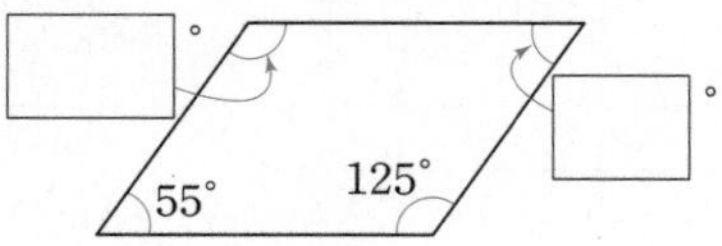

14

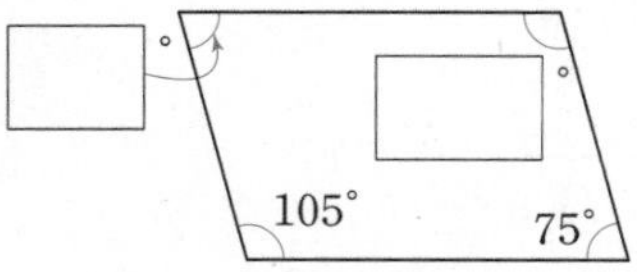

15

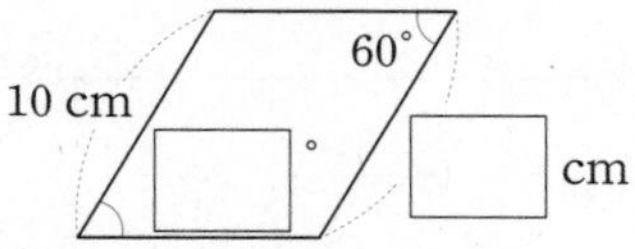

16

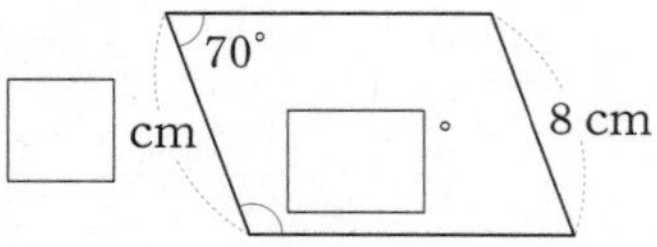

[17-22] 도형은 마름모입니다. □ 안에 알맞은 수를 써넣으시오.

17

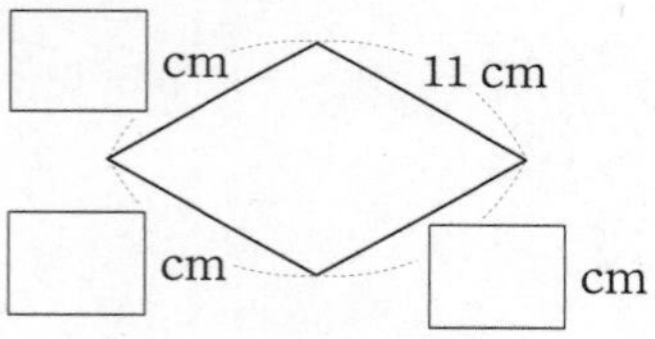

18

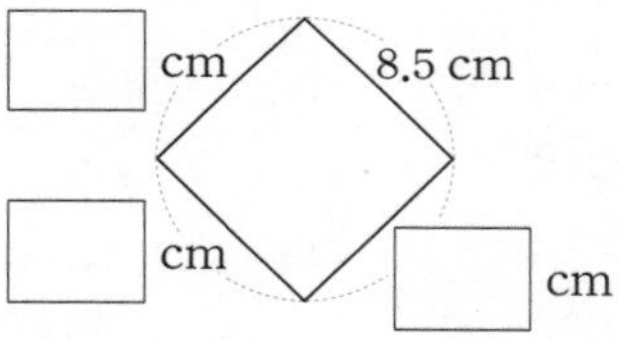

19

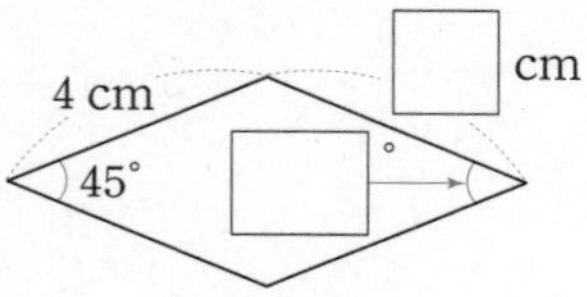

20

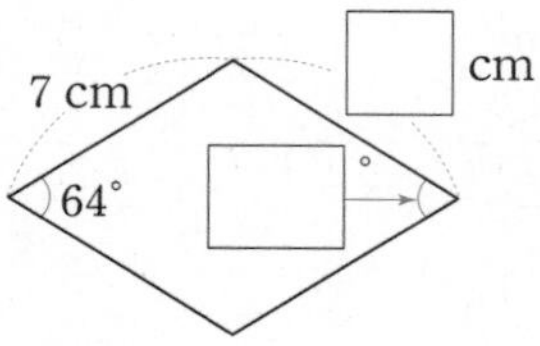

21

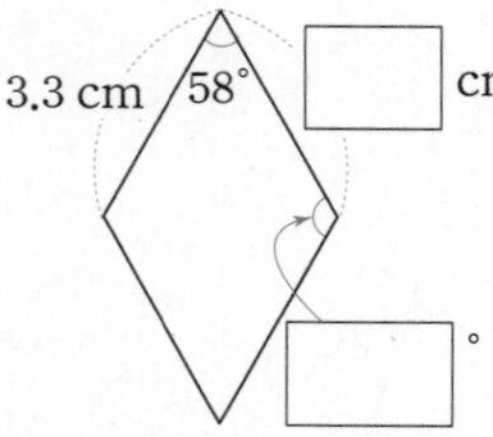

22

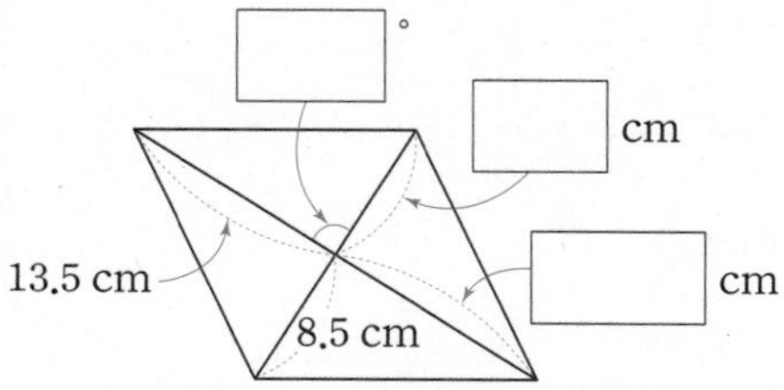

응용 연산

[23-24] 주어진 사각형은 평행사변형입니다. □ 안에 알맞은 수를 써넣으시오.

23 사각형 ㄱㄷㄹㅁ

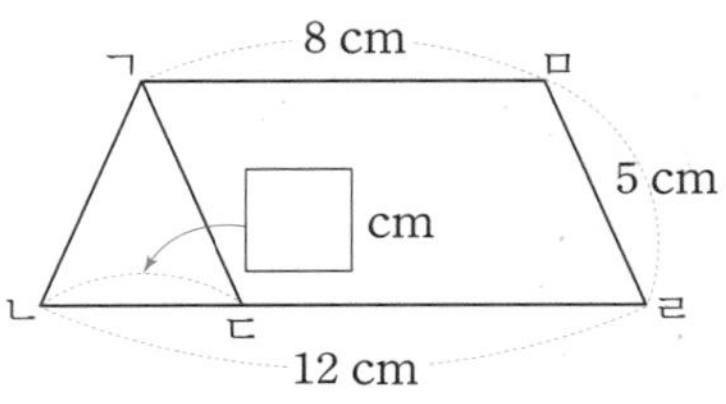

24 사각형 ㄱㄴㄷㄹ

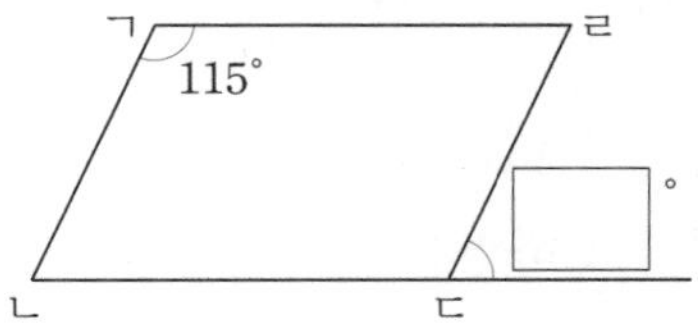

[25-26] 주어진 사각형의 네 변의 길이의 합을 구하시오.

25 평행사변형

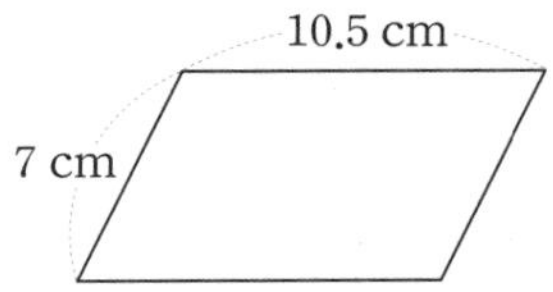

26 마름모

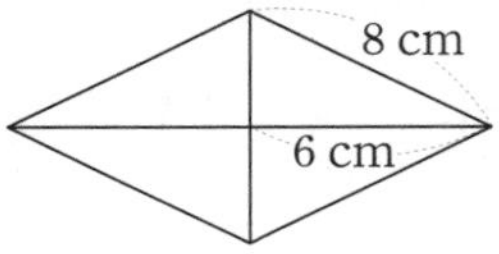

[27-28] 사각형에 대한 설명으로 옳지 않은 것을 찾아 기호를 쓰시오.

27

㉠ 평행사변형에서 마주 보는 두 각의 크기의 합은 180°입니다.

㉡ 마름모에서 마주 보는 꼭짓점끼리 이은 선분이 이루는 각은 90°입니다.

28

㉠ 평행사변형에서 이웃한 두 변의 길이는 같습니다.

㉡ 마름모에서 마주 보는 꼭짓점끼리 이은 선분은 서로 이등분합니다.

[29-30] 도형판에서 꼭짓점 한 개만 옮겨서 주어진 사각형을 만들어 보시오.

29 평행사변형

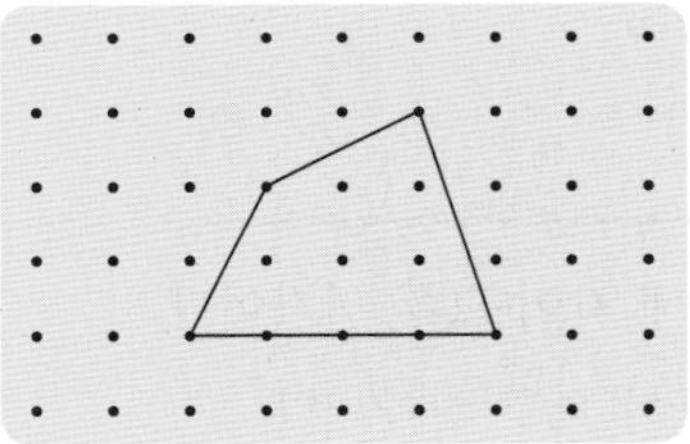

30 마름모

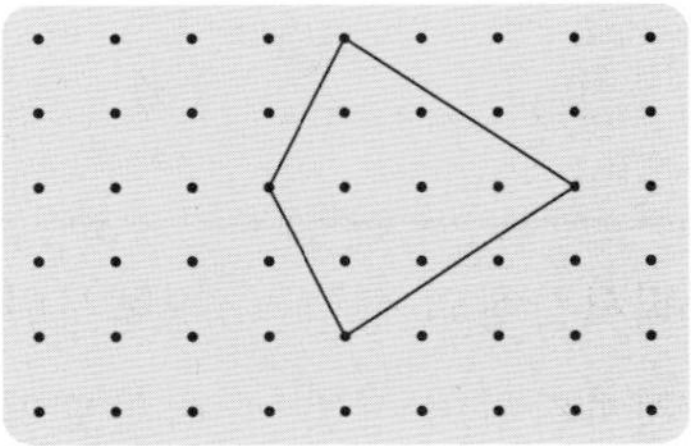

16 직사각형과 정사각형의 성질

우리는 **[수학 3-1]** 평면도형에서 직사각형과 정사각형을 알아보았고 앞 단원에서 평행사변형과 마름모의 성질을 알아보았습니다.

네 각이 모두 직각인 사각형을 직사각형, 네 각이 모두 직각이고 네 변의 길이가 같은 사각형을 정사각형이라고 하였습니다.

평행사변형은 마주 보는 두 변의 길이가 같고, 마주 보는 두 각의 크기가 같으며 이웃한 두 각의 크기의 합은 180°입니다.

마름모는 마주 보는 꼭짓점끼리 이은 선분이 서로 수직으로 만나고 이등분합니다.

마름모는 평행사변형의 성질을 모두 만족합니다.

그렇다면 직사각형과 정사각형은 어떤 성질이 있을까요?

직사각형은 마주 보는 두 쌍의 변이 서로 평행하므로 평행사변형의 성질을 모두 만족합니다. 즉, 직사각형은 네 각이 모두 직각인 평행사변형으로 생각할 수 있습니다.

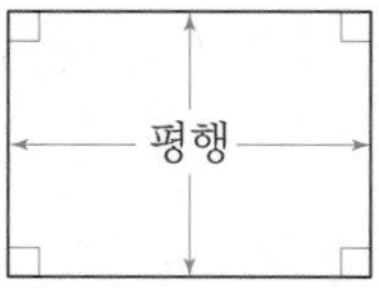

직사각형은 평행사변형, 사다리꼴이라고 할 수 있습니다.

정사각형은 네 변의 길이가 모두 같으므로 마름모의 성질을 모두 만족합니다. 즉, 정사각형은 네 각이 모두 직각인 마름모로 생각할 수 있습니다.

정사각형은 직사각형, 마름모, 평행사변형, 사다리꼴이라고 할 수 있습니다.

사다리꼴, 평행사변형, 마름모, 직사각형, 정사각형 등 여러 가지 사각형을 알아보았습니다. 여러 가지 사각형의 관계를 그림으로 나타내면 다음과 같습니다.

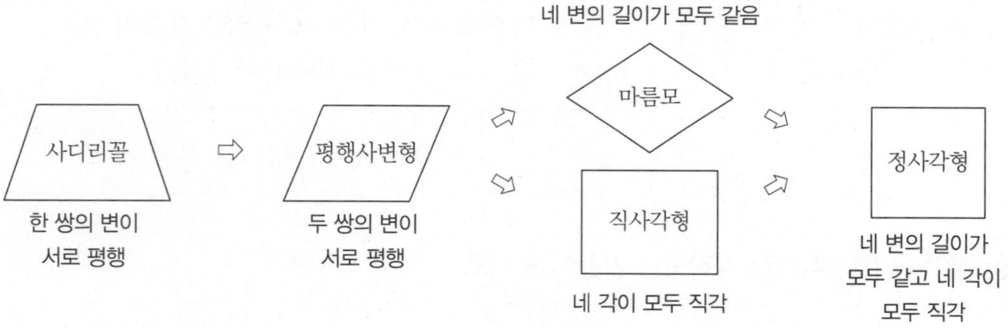

풍산자 비법

❶ 직사각형의 성질 ⇨ 평행사변형의 성질을 모두 만족하고, 네 각이 모두 직각이다.

❷ 정사각형의 성질 ⇨ 마름모의 성질을 모두 만족하고, 네 각이 모두 직각이다.

예제 따라 풀어보는 연산

예제 1 도형은 직사각형입니다. □ 안에 알맞은 수를 써넣으시오.

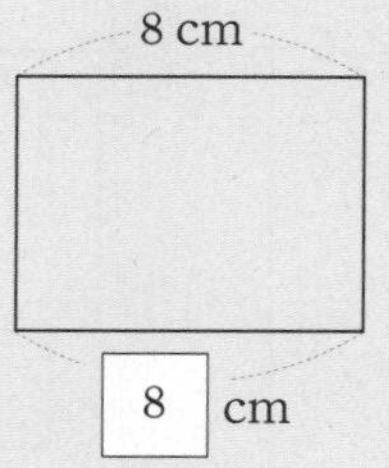

01

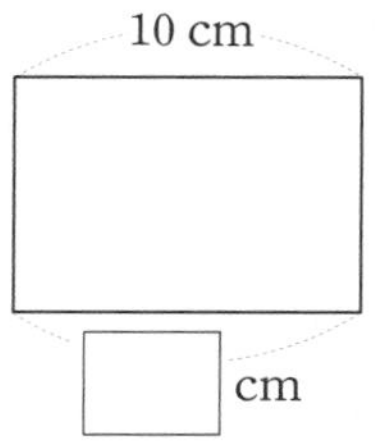

02

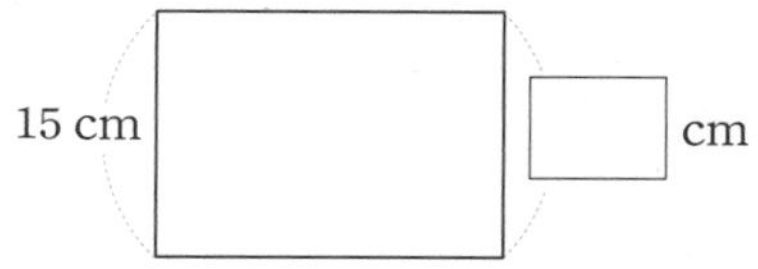

예제 2 도형은 정사각형입니다. □ 안에 알맞은 수를 써넣으시오.

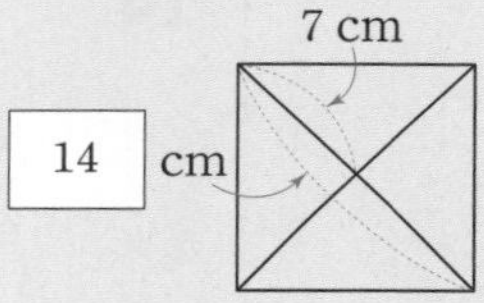

03

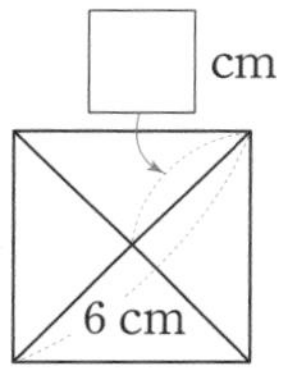

04

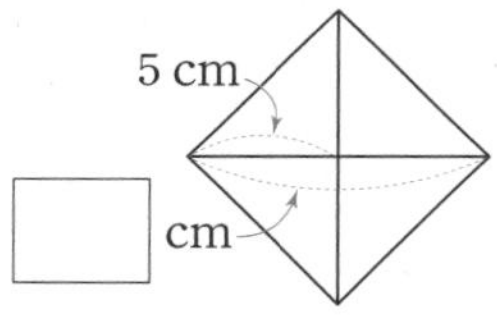

예제 3 주어진 사각형을 모두 찾아 기호를 쓰시오.

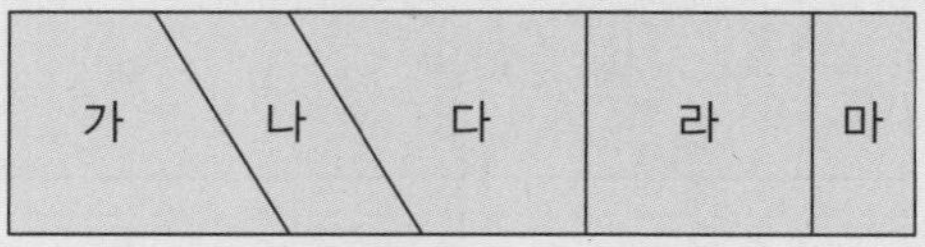

사다리꼴 ⇨ 가, 나, 다, 라, 마

05 평행사변형 ⇨	**06** 마름모 ⇨
07 직사각형 ⇨	**08** 정사각형 ⇨

스스로 풀어보는 연산

[09-10] 도형은 직사각형입니다. □ 안에 알맞은 수를 써넣으시오.

09

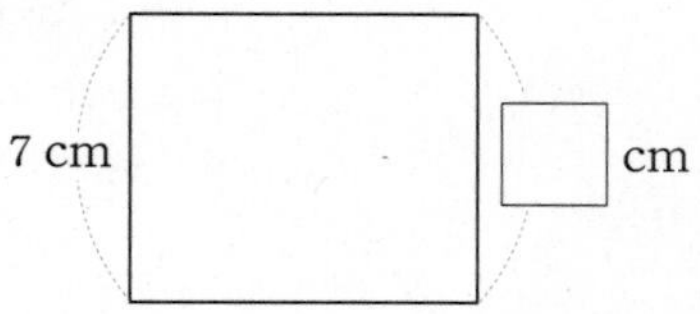

10

11

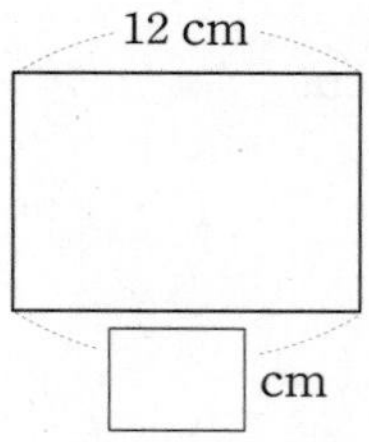

12

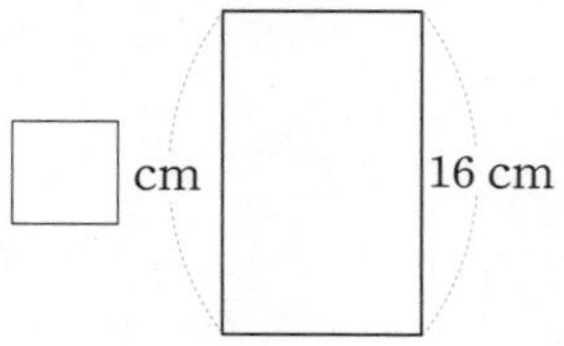

[13-16] 도형은 정사각형입니다. □ 안에 알맞은 수를 써넣으시오.

13

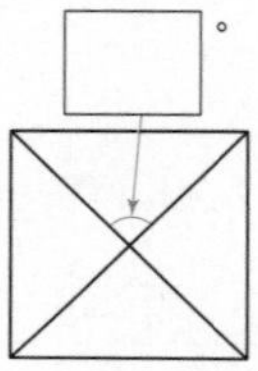

14

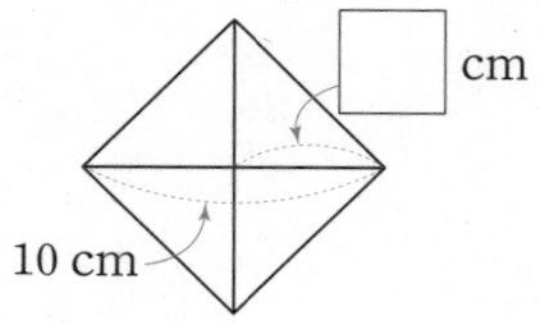

15

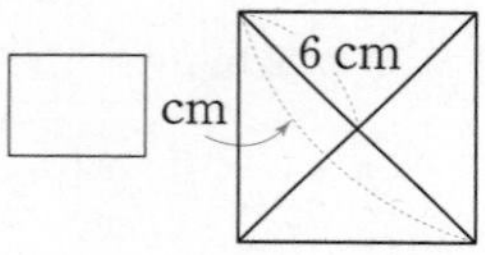

16

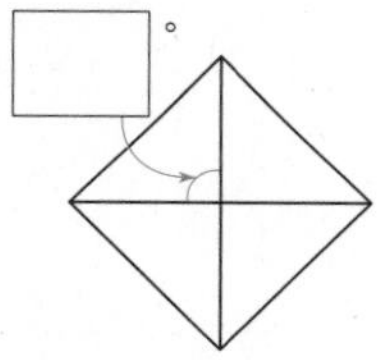

[17-20] 주어진 사각형을 모두 찾아 기호를 쓰시오.

17 사다리꼴 ⇨

18 평행사변형 ⇨

19 직사각형 ⇨

20 정사각형 ⇨

응용 연산

[21-22] □ 안에 알맞은 수를 써넣으시오.

21 네 변의 길이의 합이 64 cm인 정사각형의 한 변의 길이는 □ cm입니다.

22 네 변의 길이의 합이 90 cm인 직사각형의 가로가 25 cm일 때 세로는 □ cm입니다.

[23-24] 조건을 만족하는 도형을 그리시오.

23
- 마주 보는 두 쌍의 변이 평행합니다.
- 마주 보는 변의 길이가 같습니다.
- 네 각이 모두 직각입니다.

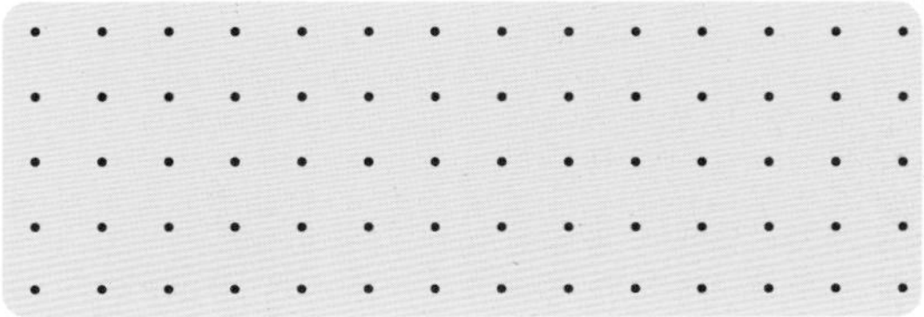

24
- 마주 보는 두 쌍의 변이 평행합니다.
- 네 변의 길이가 모두 같습니다.
- 네 각이 모두 직각입니다.

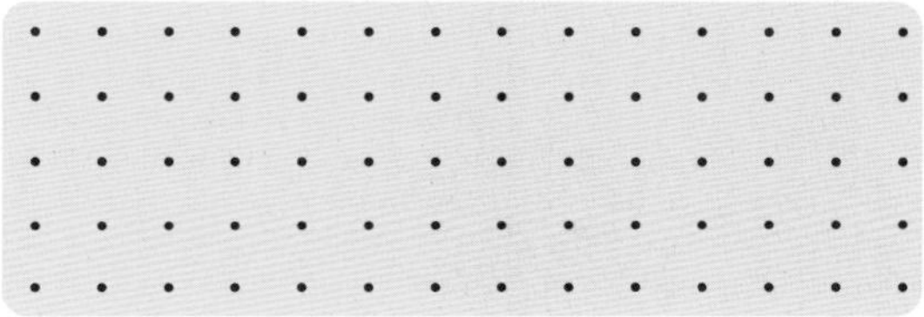

[25-26] 사각형에 대한 설명으로 옳지 않은 것을 찾아 기호를 쓰시오.

25
㉠ 직사각형에서 마주 보는 두 쌍의 변은 수직입니다.
㉡ 네 변의 길이가 모두 같고 네 각이 모두 직각인 사각형은 정사각형입니다.
㉢ 정사각형은 마름모입니다.

26
㉠ 정사각형에서 마주 보는 두 쌍의 변은 서로 평행합니다.
㉡ 직사각형은 평행사변형입니다.
㉢ 마름모는 직사각형입니다.

[27-28] 주어진 막대로 만들 수 있는 사각형을 모두 쓰시오.

27 길이가 7 cm인 막대 4개

28 길이가 10 cm인 막대 2개, 5 cm인 막대 2개

재미있게, 우리 연산하자!

지금까지 우리는 사각형을 배웠습니다.

힘들었을 텐데, 잘 풀었어요!

자, 그럼 마지막으로 지금까지 배운 사각형을 모두 이용해서
도형판에 여러 가지 사각형을 그려 봅시다.

[1] 도형판에 사다리꼴 안의 점이 각각 3개, 4개, 5개가 되도록 서로 다른 사다리꼴 3개를 그려 봅시다.

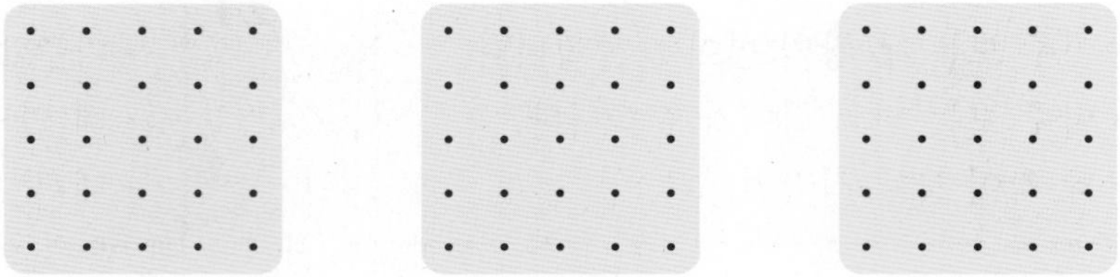

[2] 도형판에 평행사변형 안의 점이 각각 3개, 4개, 9개가 되도록 서로 다른 평행사변형 3개를 그려 봅시다.

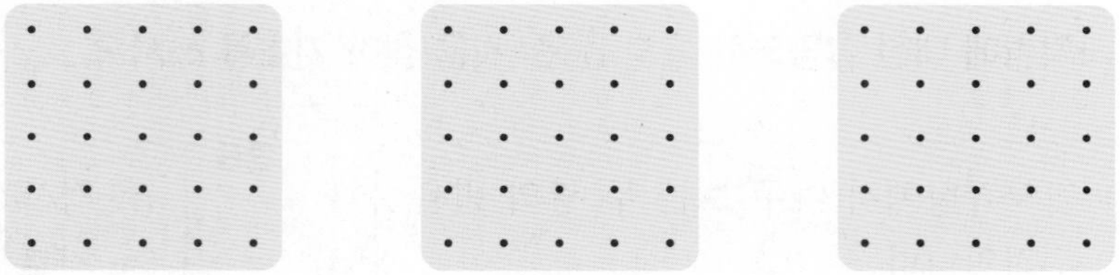

[3] 도형판에 마름모 안의 점이 각각 1개, 3개, 9개가 되도록 서로 다른 마름모 3개를 그려 봅시다.

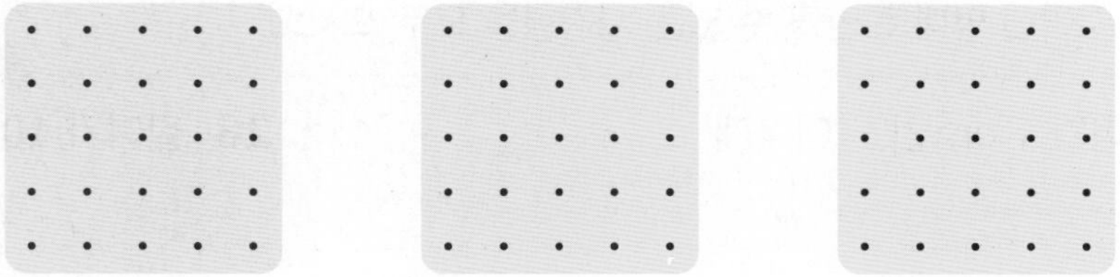

5

꺾은선그래프

공부할 내용	공부한 날
17 꺾은선그래프 알아보기	월 일
18 꺾은선그래프로 나타내기	월 일

17 꺾은선그래프 알아보기

우리는 **[수학 4-1]** 막대그래프를 알아보았습니다.
조사한 자료를 막대 모양으로 나타낸 그래프를 막대그래프라고 하였습니다.

좋아하는 과일

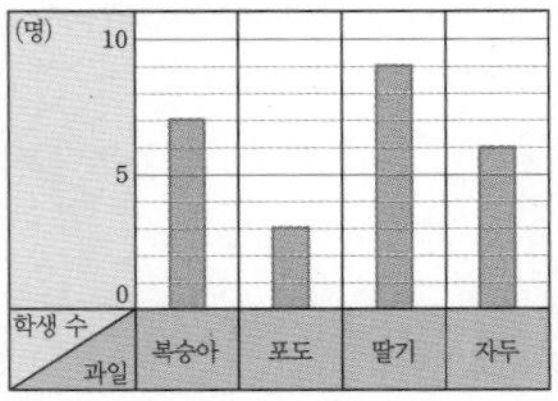

[막대그래프]

그렇다면 조사한 자료를 막대그래프 외에 다르게 나타낸 그래프도 있을까요?
조사한 자료의 수량을 점으로 표시하고, 그 점들을 선분으로 이어 그린 다음과 같은 그래프를 **꺾은선그래프**라고 합니다.

운동장의 온도

시각(시)	오전 11	낮 12	오후 1	오후 2	오후 3
온도(℃)	20	23	25	26	24

⇨

(가) 운동장의 온도

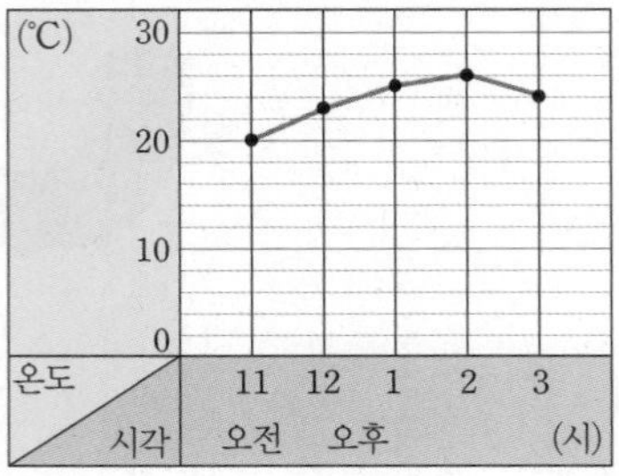

꺾은선그래프는 시간에 따른 자료의 변화를 알아보기 쉽습니다.

꺾은선은 운동장의 온도 변화를 나타냅니다.

운동장의 온도를 나타낸 꺾은선그래프를 통해 다음과 같은 사실을 알 수 있습니다.

- 가로는 시각, 세로는 온도를 나타내고 세로 눈금 한 칸은 2 ℃를 나타냅니다.
  ⇨ 막대그래프와 꺾은선그래프의 같은 점입니다.
- 운동장의 온도가 가장 높은 때는 오후 2시입니다.
- 운동장의 온도가 가장 낮은 때는 오전 11시입니다.
- 운동장의 온도가 가장 많이 변한 때는 오전 11시와 낮 12시 사이입니다.
- 운동장의 온도가 가장 적게 변한 때는 오후 1시와 오후 2시 사이입니다.

운동장의 온도

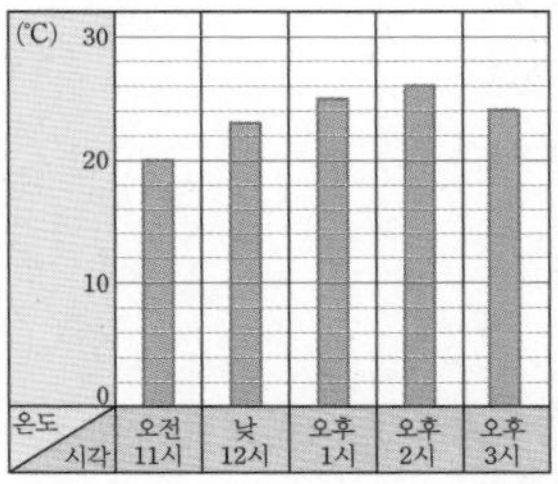

꺾은선그래프에서 세로 눈금 한 칸의 크기를 작게 하고, 필요 없는 부분은 물결선(≈)을 사용하여 생략하여 나타낼 수도 있습니다.
물결선으로 필요 없는 부분을 줄여서 나타낸 꺾은선그래프 (나)는 꺾은선그래프 (가)보다 변화하는 모습이 더 잘 나타납니다.

(나) 운동장의 온도

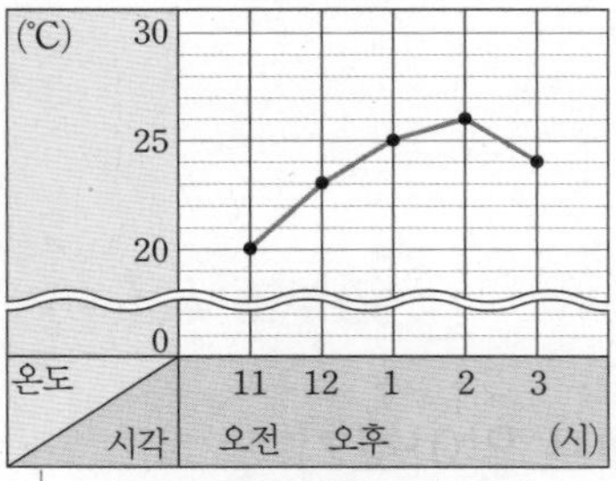

↳ 세로 눈금 한 칸의 크기: 1 ℃

풍산자 비법

꺾은선그래프 ⇨ 수량을 점으로 표시하고, 그 점들을 선분으로 이어 그린 그래프

예제 따라 풀어보는 연산

예제 1 꺾은선그래프를 보고 물음에 답하시오.

12월 1일의 시간대별 기온

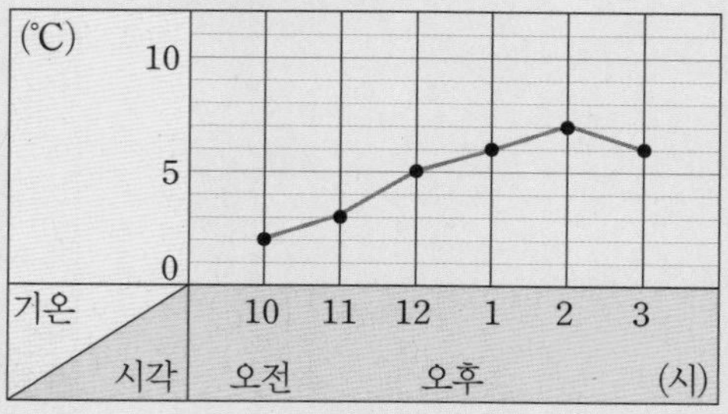

⇨ 세로는 [기온]을 나타냅니다.

01 조사한 내용은 [ ]입니다.	**02** 가로는 [ ]을 나타냅니다.
03 세로 눈금 한 칸은 [ ]℃를 나타냅니다.	**04** 오후 1시의 기온은 [ ]℃입니다.

예제 2 꺾은선그래프를 보고 물음에 답하시오.

월별 강수량

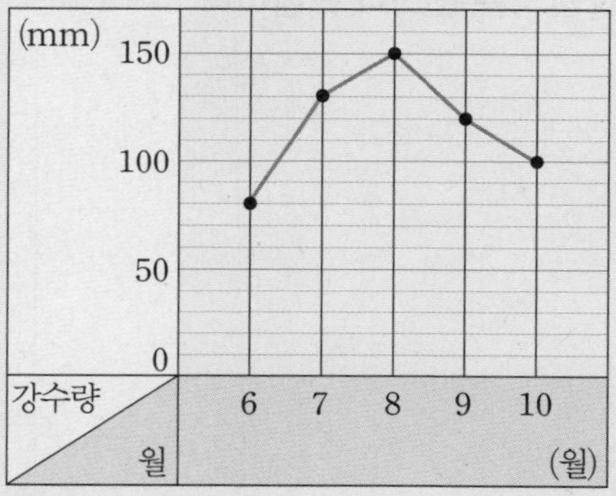

⇨ 세로 눈금 한 칸은 [10] mm를 나타냅니다.

05 조사한 내용은 [ ]입니다.	**06** 강수량이 가장 많은 달은 [ ]월입니다.
07 강수량이 가장 적은 달은 [ ]월입니다.	**08** 7월의 강수량은 6월의 강수량보다 [ ] mm 더 많습니다.

스스로 풀어보는 연산

[09-12] 어느 지역의 연도별 적설량을 나타낸 꺾은선그래프입니다. 물음에 답하시오.

연도별 적설량

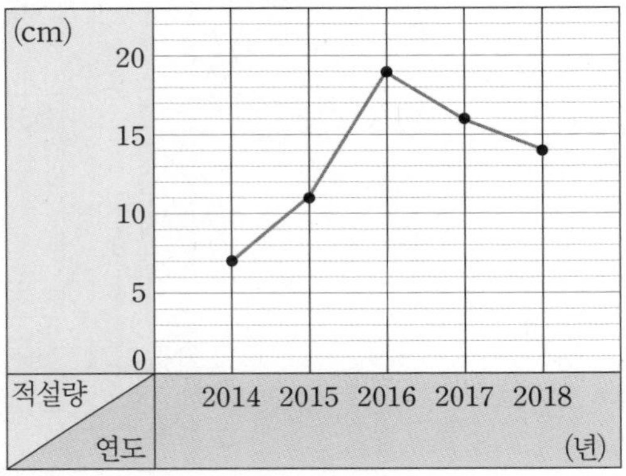

09 꺾은선그래프에서 가로와 세로는 각각 무엇을 나타내는지 쓰시오.

10 꺾은선은 무엇을 나타내는지 쓰시오.

11 눈이 가장 많이 내린 해는 언제인지 쓰시오.

12 2017년의 적설량은 2018년의 적설량보다 몇 cm 더 많은지 구하시오.

[13-16] 상원이의 키를 나이대별로 나타낸 꺾은선그래프입니다. 물음에 답하시오.

상원이의 키

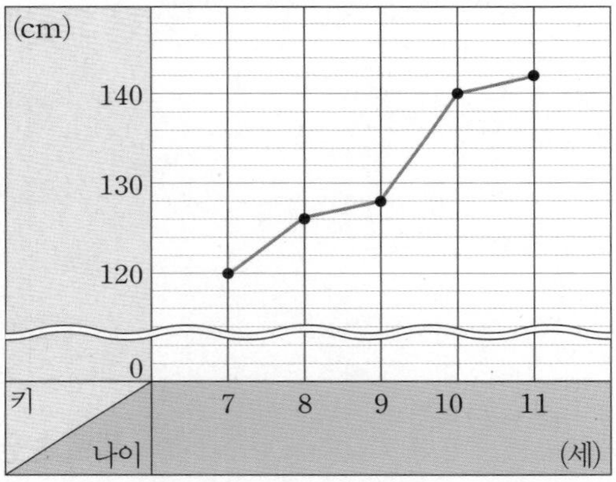

13 꺾은선그래프에서 가로와 세로는 각각 무엇을 나타내는지 쓰시오.

14 꺾은선그래프에서 세로 눈금 한 칸은 몇 cm를 나타내는지 쓰시오.

15 상원이의 키가 가장 많이 자란 때는 몇 세와 몇 세 사이인지 쓰시오.

16 4년 동안 키가 얼마나 자랐는지 구하시오.

응용 연산

[17-20] 어느 마을의 월별 최고 기온을 조사하여 막대그래프와 꺾은선그래프로 나타내었습니다. 물음에 답하시오.

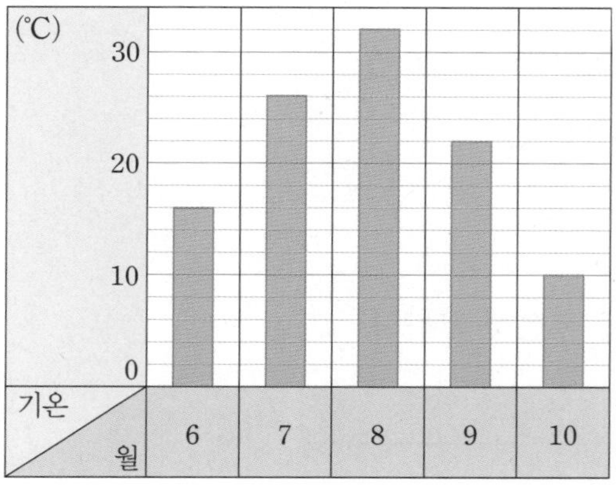

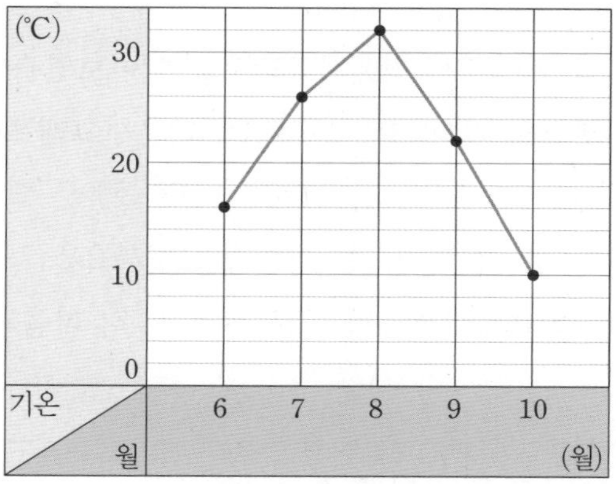

17 두 그래프 중 기온의 변화를 한눈에 알아보기 쉬운 그래프는 무엇인지 쓰시오.

18 꺾은선그래프의 세로 눈금 한 칸은 몇 °C를 나타내는지 쓰시오.

19 9월의 기온은 10월의 기온보다 몇 °C 더 높은지 구하시오.

20 막대그래프와 꺾은선그래프의 같은 점을 쓰시오.

[21-24] 어느 식물의 키를 요일별로 조사하여 두 꺾은선그래프로 나타내었습니다. 물음에 답하시오.

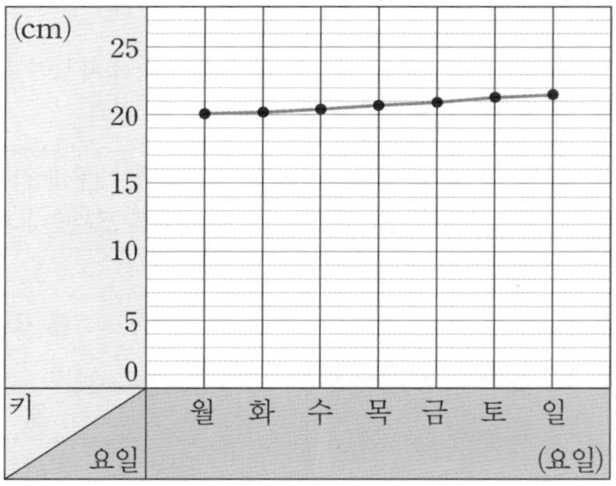

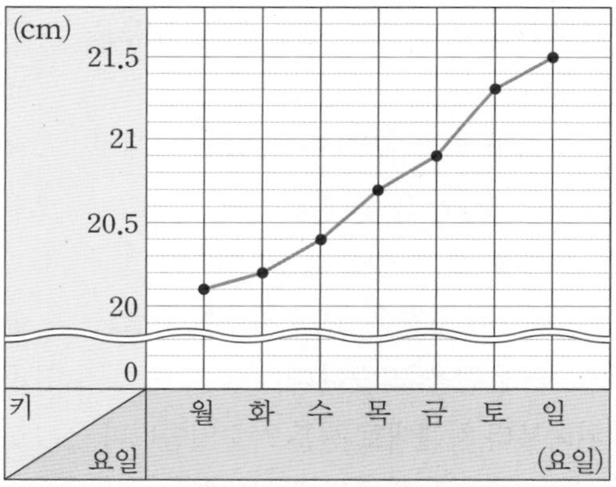

21 두 그래프의 다른 점은 무엇인지 쓰시오.

22 (가)와 (나) 그래프의 세로 눈금 한 칸은 각각 몇 cm를 나타내는지 쓰시오.

23 (가) 그래프와 (나) 그래프 중 식물의 키를 읽기에 더 편한 그래프는 무엇인지 쓰시오.

24 일주일 동안 식물의 키는 얼마나 자랐는지 구하시오.

18 꺾은선그래프로 나타내기

우리는 앞 단원에서 꺾은선그래프를 알아보았습니다. 수량을 점으로 표시하고, 그 점들을 선분으로 이어 그린 그래프를 꺾은선그래프라고 하였습니다.

그렇다면 꺾은선그래프는 어떻게 그릴까요?

자료를 조사하여 그 결과를 표로 정리한 후, 다음과 같은 순서로 꺾은선그래프를 그립니다.

① 가로와 세로 중 어느 쪽에 조사한 수를 나타낼 것인가를 정합니다.
② 눈금 한 칸의 크기를 정하고, 조사한 수 중에서 가장 큰 수를 나타낼 수 있도록 눈금의 수를 정합니다.
③ 가로 눈금과 세로 눈금이 만나는 자리에 점을 찍습니다.
④ 점들을 선분으로 잇습니다.
⑤ 꺾은선그래프에 알맞은 제목을 붙입니다.

세로 눈금 한 칸의 크기는 조사한 자료의 값을 보고 너무 크거나 작지 않도록 정합니다.

월별 강수량을 조사한 오른쪽 표를 꺾은선그래프로 나타내면 다음과 같습니다.

월별 강수량

월(월)	2	3	4	5	6
강수량(mm)	9	13	15	19	16

① 가로에 월을 나타내고 세로에 강수량을 나타냅니다.
② 세로 눈금 한 칸의 크기는 1 mm, 세로 눈금의 수는 21칸으로 정합니다.
③ 2월은 9번째 줄, 3월은 13번째 줄, 4월은 15번째 줄, 5월은 19번째 줄, 6월은 16번째 줄에 점을 찍습니다.
④ 점을 왼쪽부터 차례대로 선분으로 잇습니다.
⑤ '월별 강수량'으로 제목을 붙입니다.

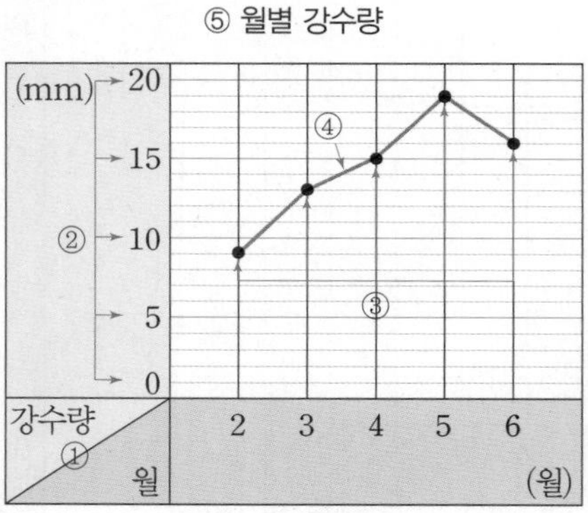

자료를 조사하여 꺾은선그래프 그리는 방법

조사할 내용과 항목을 정하여 자료를 조사합니다.
⇩
조사한 자료를 표로 나타냅니다.
⇩
표를 보고 꺾은선그래프로 나타냅니다.

이때 꺾은선그래프로 나타낼 때 수치가 크거나 변화하는 정도가 적은 경우에는 물결선을 이용한 꺾은선그래프로 나타냅니다.

풍산자 비법 꺾은선그래프로 나타낼 때 조사한 수 중 가장 큰 수를 나타낼 수 있도록 눈금의 수를 정한다.

예제 따라 풀어보는 연산

예제 1

교실의 온도

시각(시)	오전 10	오전 11	낮 12	오후 1
온도(℃)	8	14	13	9

⇨

교실의 온도

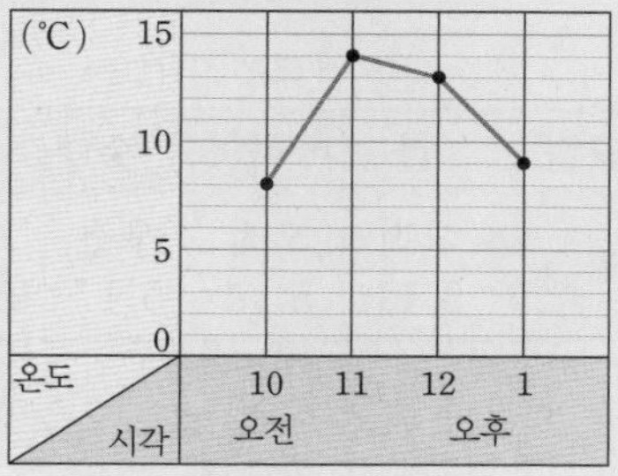

01

해바라기의 키

월(월)	3	4	5	6
키(cm)	7	9	12	18

⇩

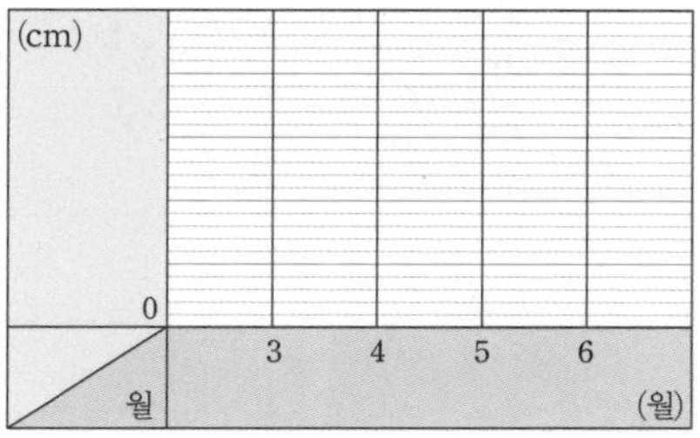

02

아침 최저 기온

날짜(일)	1	8	15	22
기온(℃)	8	4	10	6

⇩

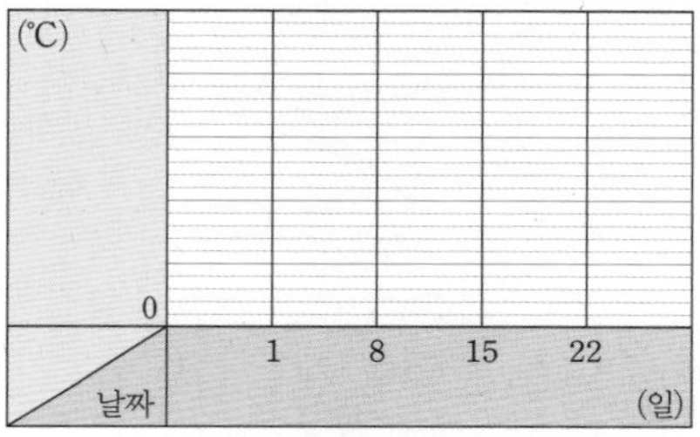

예제 2

민지의 키

학년(학년)	1	2	3	4
키(cm)	115	119	125	133

⇨

민지의 키

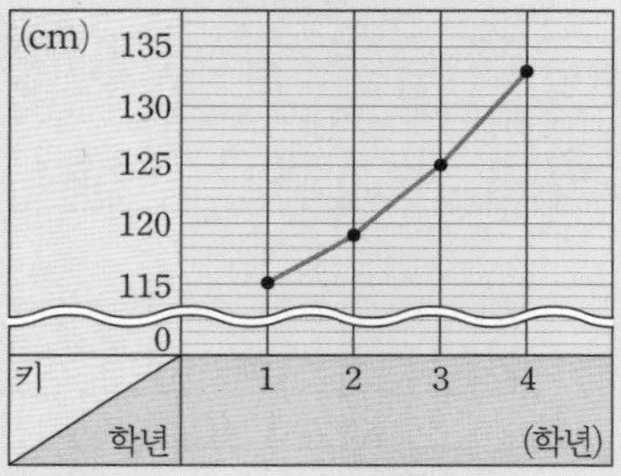

03

자유형 기록

시도(차)	1	2	3	4
기록(초)	35.2	34.8	34.3	34

⇩

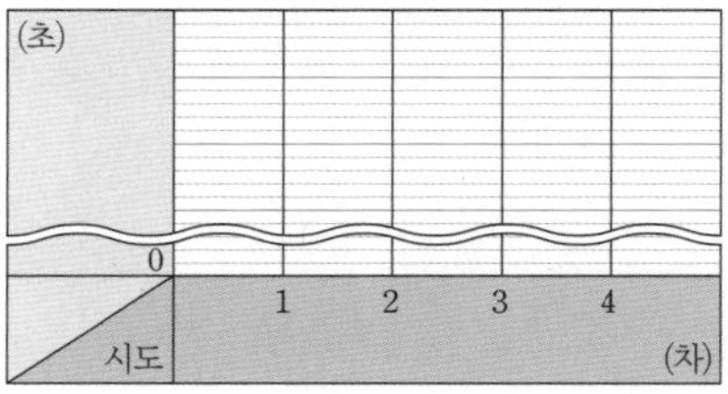

04

은주의 몸무게

학년(학년)	1	2	3	4
몸무게(kg)	20	23	29	32

⇩

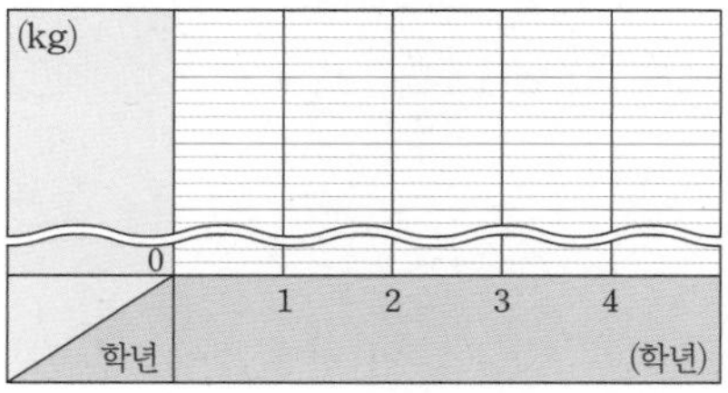

스스로 풀어보는 연산

[05-08] 표를 보고 꺾은선그래프로 나타내시오.

05

해 뜨는 시각

요일(요일)	월	화	수	목	금
시각	오전 5:11	오전 5:14	오전 5:17	오전 5:20	오전 5:22

⇩

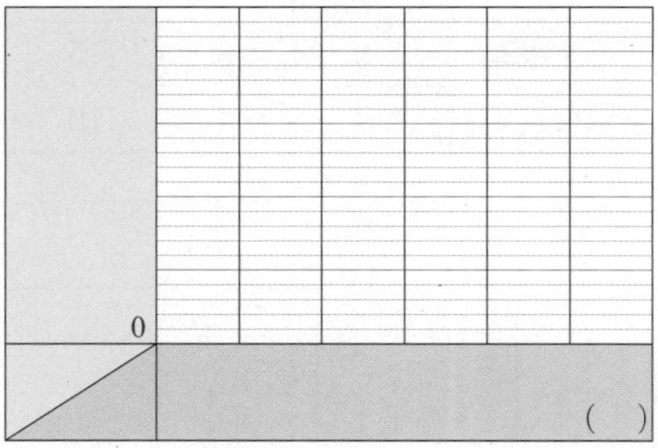

06

해 지는 시각

요일(요일)	월	화	수	목	금
시각	오후 6:48	오후 6:45	오후 6:44	오후 6:40	오후 6:36

⇩

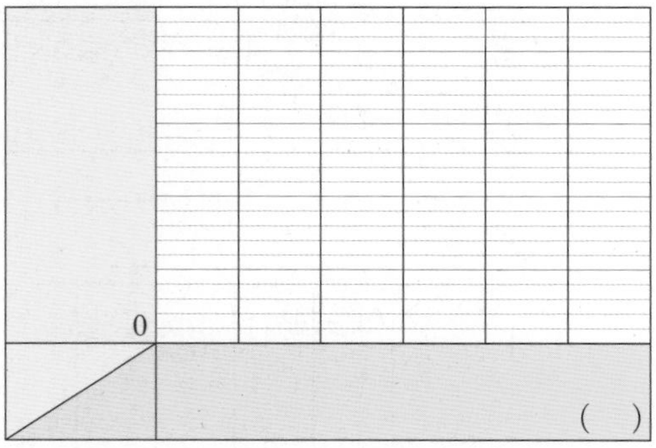

07

영재의 체온

요일(요일)	월	화	수	목	금
체온(℃)	36	36.3	36.5	36.1	35.7

⇩

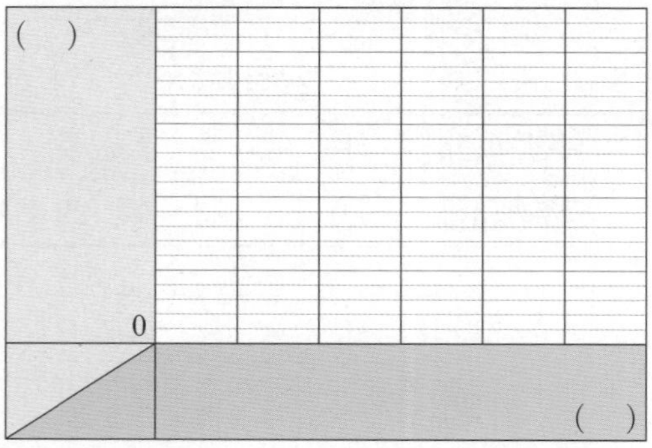

08

월별 강수량

월(월)	6	7	8	9	10
강수량(mm)	280	360	400	300	260

⇩

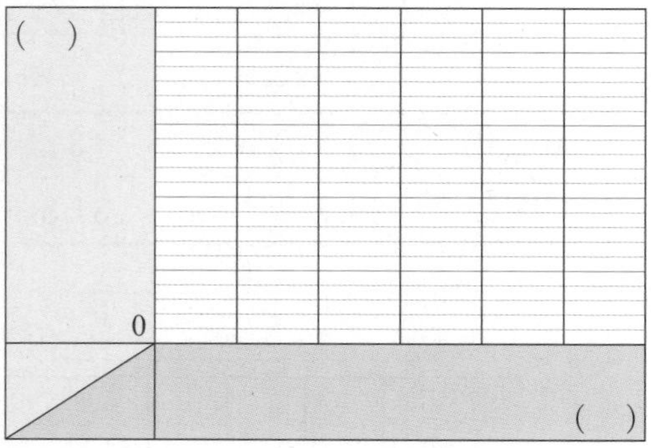

응용 연산

[09-12] 어느 도시의 아침 최저 기온을 나타낸 표를 보고 꺾은선그래프로 나타내려고 합니다. 물음에 답하시오.

아침 최저 기온

날짜(일)	10	11	12	13	14
기온(℃)	11	10	8	5	3

09 꺾은선그래프를 그릴 때 가로에 날짜를 나타낸다면 세로에는 무엇을 나타내야 하는지 쓰시오.

10 꺾은선그래프의 세로 눈금 한 칸을 얼마로 하면 좋을지 쓰시오.

11 표를 꺾은선그래프로 나타내시오.

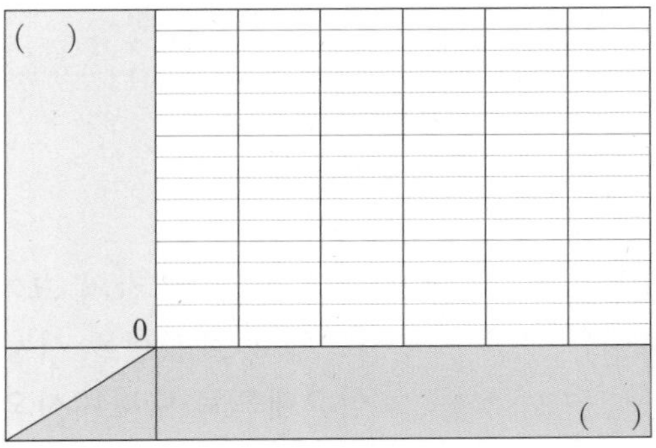

12 15일 아침 최저 기온은 어떻게 될지 예상해 보시오.

[13-14] 진수의 몸무게를 매년 1월에 조사하여 나타낸 표를 보고 꺾은선그래프로 나타내려고 합니다. 물음에 답하시오.

진수의 몸무게

연도(년)	2014	2015	2016	2017	2018
몸무게(kg)	36	37	39	42	43

13 물결선을 어디와 어디 사이에 넣으면 좋을지 쓰시오.

14 표를 꺾은선그래프로 나타내시오.

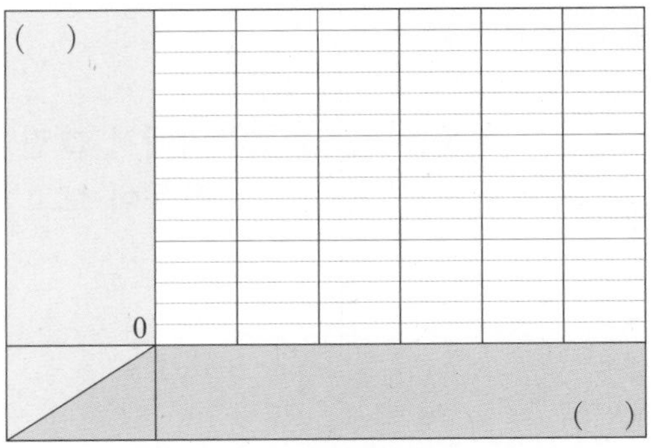

재미있게, 우리 연산하자!

지금까지 우리는 꺾은선그래프를 배웠습니다.
힘들었을 텐데, 잘 풀었어요!

자, 그럼 마지막으로 지금까지 배운 꺾은선그래프를 모두 이용해서 아래 문제를 해결해 볼까요?

서진이는 교실의 온도가 어떻게 변하는지 궁금하여 오전 10시부터 온도를 재어 기록했습니다. 물음에 답해 봅시다.

교실의 온도

시각(시)	오전 10	오전 11	낮 12	오후 1	오후 2
온도 (℃)	17.1	17.6	18	18.3	17.4

[1] 세로 눈금 한 칸의 크기를 1 ℃로 하여 꺾은선그래프로 나타내시오.

교실의 온도

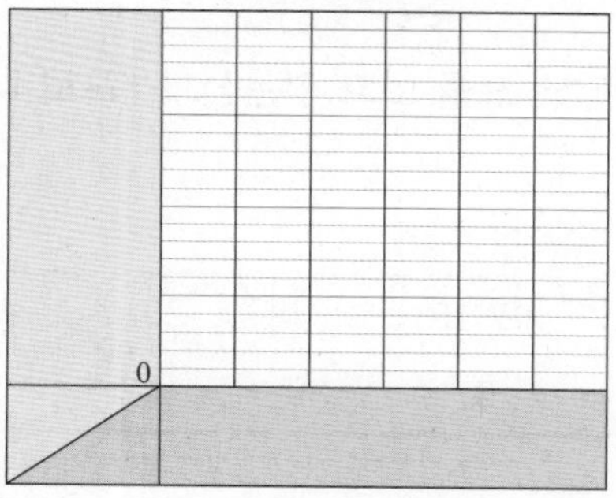

[2] 세로 눈금 한 칸의 크기를 0.1 ℃로 하고 물결선을 사용하여 꺾은선그래프로 나타내시오.

교실의 온도

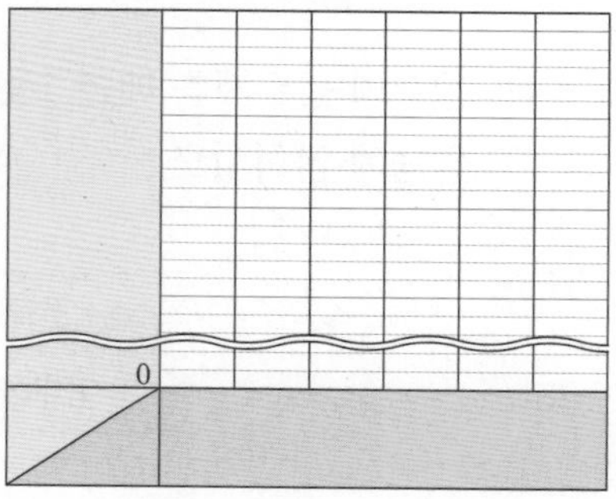

[3] 위에서 그린 두 꺾은선그래프를 보고 알 수 있는 내용을 여러 가지 질문으로 만들어 보고 친구들과 이야기해 봅시다.

6

다각형

공부할 내용	공부한 날
19 다각형과 정다각형	월 일
20 대각선과 모양 채우기	월 일

19 다각형과 정다각형

우리는 앞 단원에서 정삼각형을, **[수학 3-1]**에서 정사각형을, **[수학 3-2]**에서 원의 성질을 알아보았습니다.

세 변의 길이가 같은 삼각형을 정삼각형이라고 하였고 정삼각형은 세 각의 크기가 같았습니다. 네 각이 모두 직각이고 네 변의 길이가 모두 같은 사각형을 정사각형이라고 하였습니다. 원의 중심에서 원 위의 한 점까지의 길이는 모두 같았습니다.

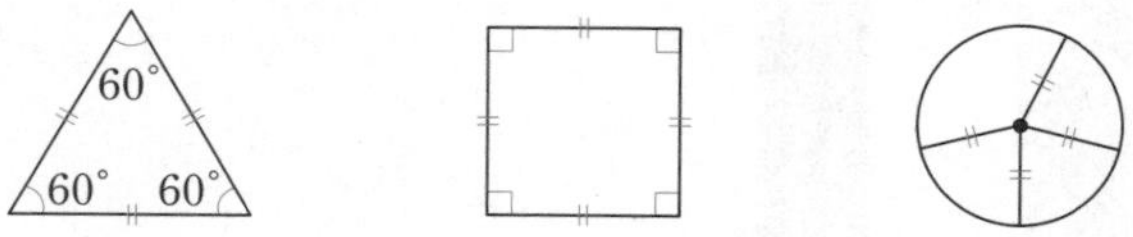

정삼각형　　정사각형　　원

그렇다면 정삼각형, 정사각형, 원과 같은 도형의 특징은 무엇일까요?

정삼각형, 정사각형은 선분으로만 둘러싸인 도형이고 원은 곡선으로만 둘러싸인 도형입니다. 이때 선분으로만 둘러싸인 도형을 **다각형**이라고 합니다.

다각형은 변의 수에 따라 변이 6개이면 **육각형**, 변이 7개이면 **칠각형**, 변이 8개이면 **팔각형**이라고 부릅니다.

곡선이 포함된 도형이나 선분으로 둘러싸이지 않고 열려 있는 도형은 다각형이 아닙니다.

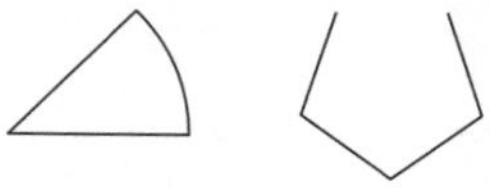

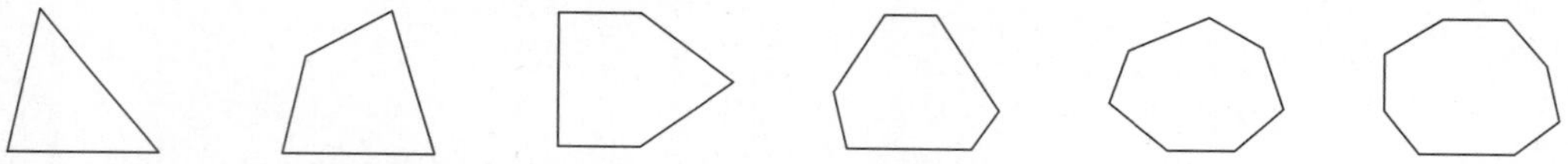

삼각형 (변이 3개)　　사각형 (변이 4개)　　오각형 (변이 5개)　　육각형 (변이 6개)　　칠각형 (변이 7개)　　팔각형 (변이 8개)

특히, 변의 길이가 모두 같고, 각의 크기가 모두 같은 다각형을 **정다각형**이라고 합니다. 정다각형은 변의 수에 따라 변이 3개이면 **정삼각형**, 변이 4개이면 **정사각형**, 변이 5개이면 **정오각형**, 변이 6개이면 **정육각형**이라고 부릅니다.

변의 수가 ▲개인 정다각형을 정▲각형이라고 합니다.

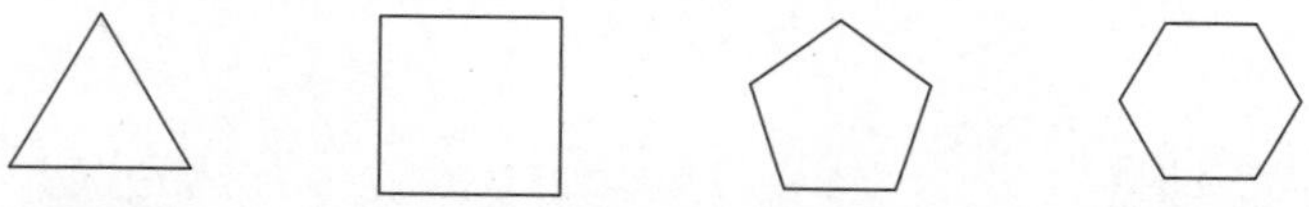

정삼각형　　정사각형　　정오각형　　정육각형

풍산자 비법

❶ 다각형 ⇨ 선분으로만 둘러싸인 도형

❷ 정다각형 ⇨ 변의 길이가 모두 같고, 각의 크기가 모두 같은 다각형

예제 따라 풀어보는 연산

예제 1 다각형이면 ○표, 다각형이 아니면 ×표 하시오.

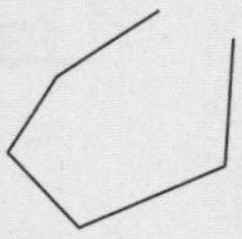

(×)

01 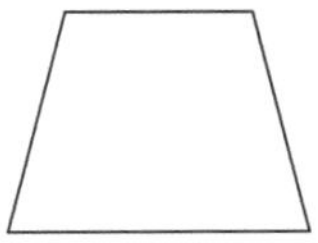 (　　)	**02**  (　　)	**03** 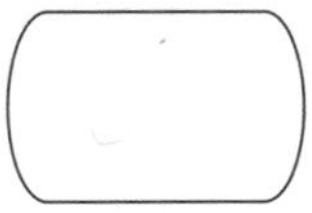 (　　)

예제 2 다각형의 이름을 쓰시오.

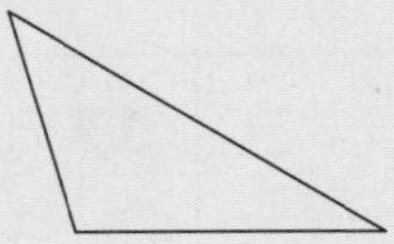

⇨ 삼각형

04 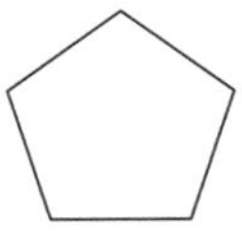 ⇨	**05** 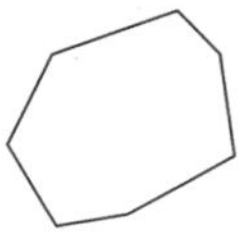 ⇨
06 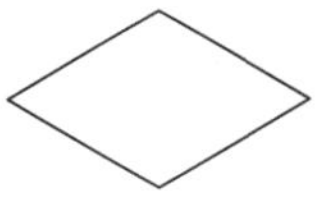 ⇨	**07** 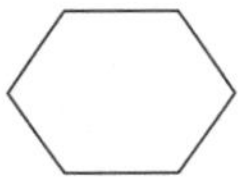 ⇨

예제 3 도형은 정다각형입니다. □ 안에 알맞은 수를 써넣으시오.

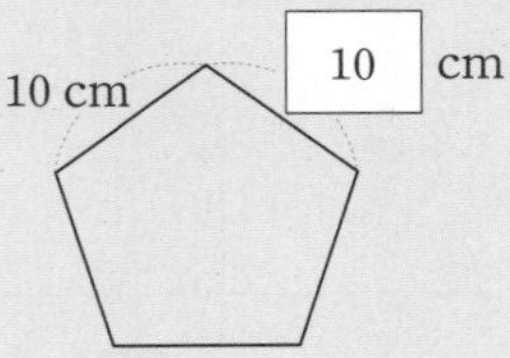

08 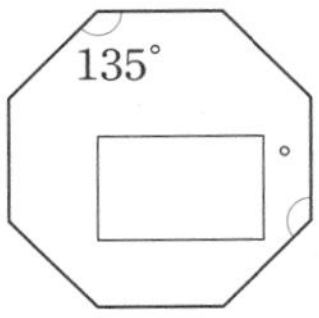	**09** 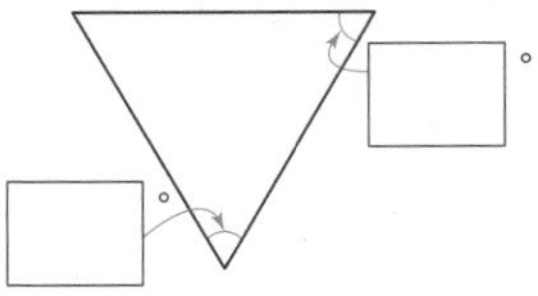
10 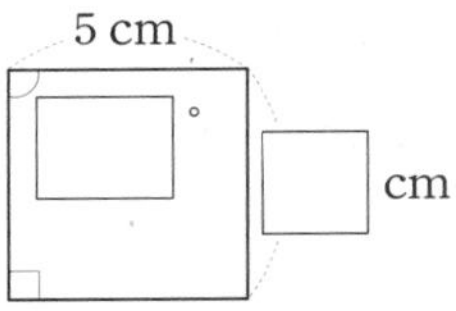	**11** 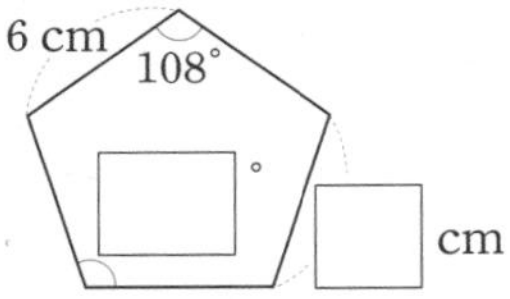

스스로 풀어보는 연산

[12-15] 다각형이면 ○표, 다각형이 아니면 ×표 하시오.

12

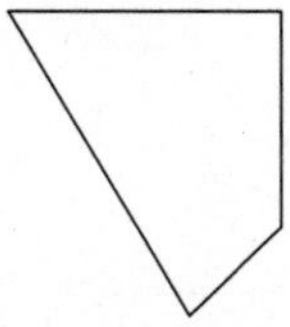

(   )

13

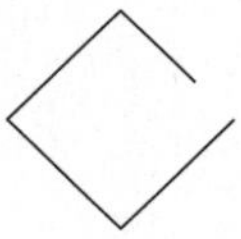

(   )

14

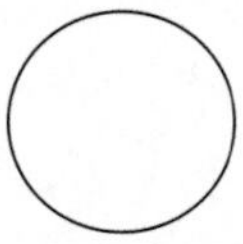

(   )

15

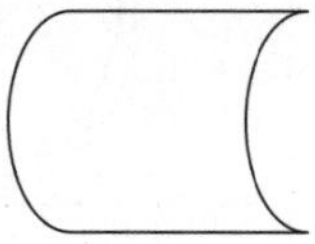

(   )

[16-19] 다각형의 이름을 쓰시오.

16

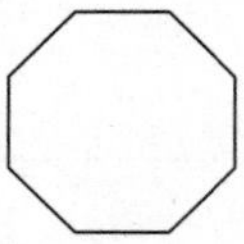

(   )

17

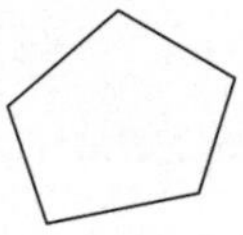

(   )

18

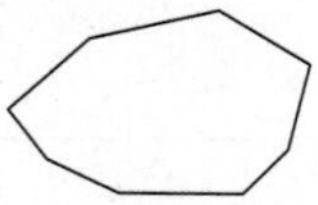

(   )

19

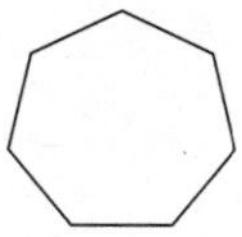

(   )

[20-25] 도형은 정다각형입니다. □ 안에 알맞은 수를 써넣으시오.

20

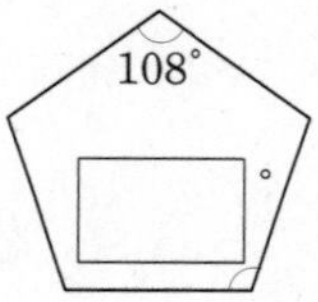

21

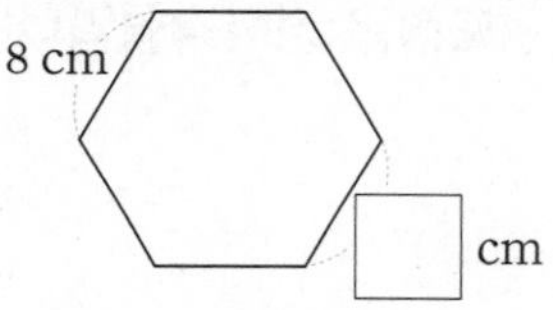

22

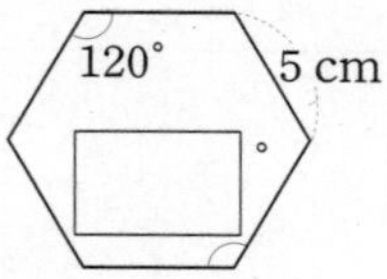

23

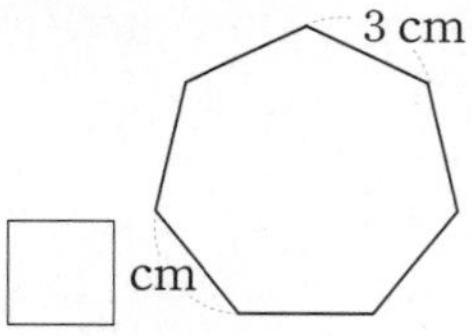

24

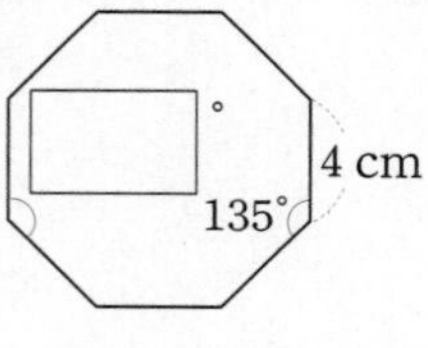

25

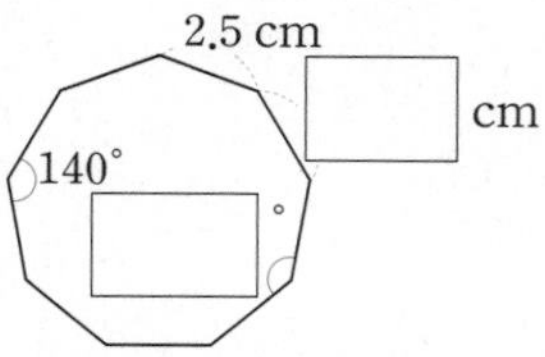

응용 연산

[26-27] 점 종이에 그려진 선분을 이용하여 다각형을 완성해 보시오.

26 육각형

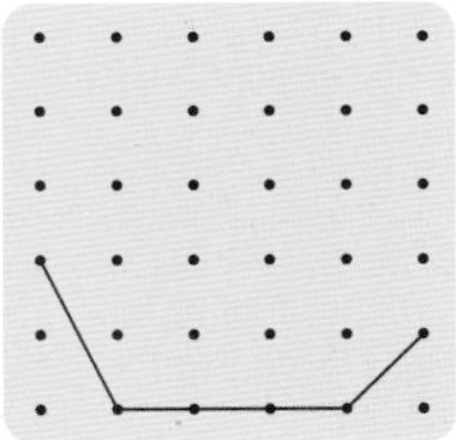

27 팔각형

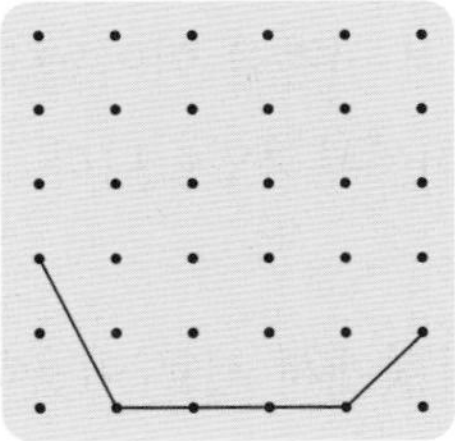

[28-29] 설명하는 도형의 이름을 쓰시오.

28
- 선분으로만 둘러싸인 도형입니다.
- 변이 9개입니다.

29
- 5개의 선분으로만 둘러싸인 도형입니다.
- 변의 길이와 각의 크기가 모두 같습니다.

[30-31] 도형은 정다각형입니다. 모든 변의 길이의 합을 구하시오.

30

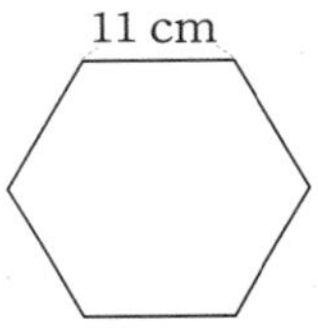

31

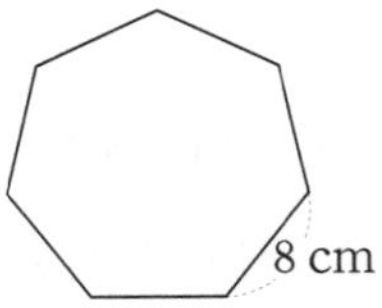

[32-33] □ 안에 알맞은 수의 합을 구하시오.

32
- 한 변의 길이가 3 cm인 정오각형의 모든 변의 길이의 합은 □ cm입니다.
- 42 cm인 줄을 모두 사용하여 만들 수 있는 가장 큰 정육각형의 한 변의 길이는 □ cm입니다.

33
- 정팔각형의 변의 개수는 □ 개입니다.
- 정사각형의 모든 변의 길이의 합과 정오각형의 모든 변의 길이의 합이 같습니다. 정사각형의 한 변의 길이가 10 cm일 때, 정오각형의 한 변의 길이는 □ cm입니다.

20 대각선과 모양 채우기

우리는 앞 단원에서 마름모의 성질을 알아보았습니다.
마름모에서 마주 보는 꼭짓점끼리 선분을 이어 보면 두 선분은 수직으로 만나고 서로 다른 것을 이등분하였습니다.

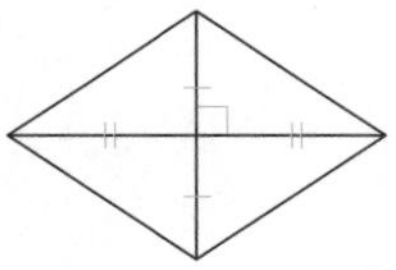

그렇다면 마름모와 같은 다각형에서 서로 이웃하지 않는 두 꼭짓점을 이은 선분을 무엇이라고 할까요?
다각형에서 선분 ㄱㄷ, 선분 ㄴㄹ과 같이 서로 이웃하지 않는 두 꼭짓점을 이은 선분을 **대각선**이라고 합니다.
여러 가지 사각형의 대각선의 성질은 다음과 같습니다.

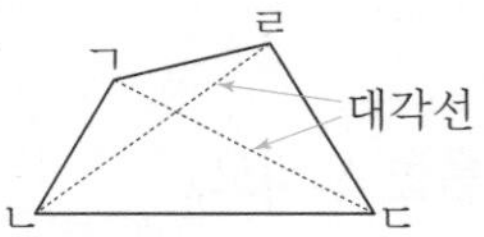

다각형의 꼭짓점의 수가 많을수록 대각선의 수도 많아집니다.

삼각형은 모든 꼭짓점이 서로 이웃하고 있기 때문에 대각선을 그을 수 없습니다.

- 두 대각선이 서로 수직으로 만나는 사각형 ⇨ 마름모, 정사각형
- 두 대각선의 길이가 같은 사각형 ⇨ 직사각형, 정사각형
- 한 대각선이 다른 대각선을 똑같이 둘로 나누는 사각형
  ⇨ 평행사변형, 마름모, 직사각형, 정사각형

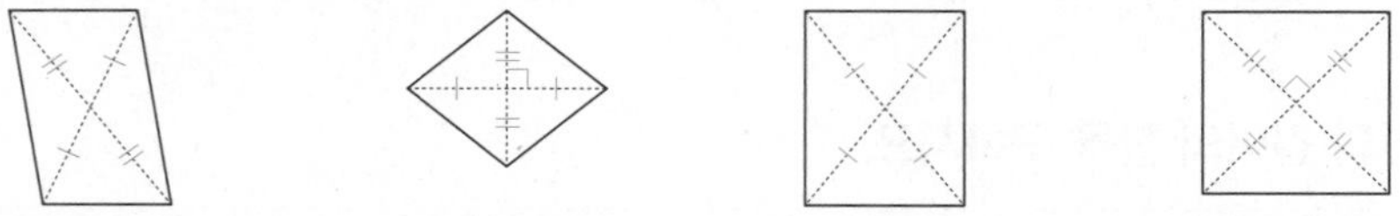

평행사변형 / 마름모 / 직사각형 / 정사각형

여러 가지 모양 조각으로 다양한 모양을 만들거나 채우는 방법을 알아봅시다.
모양 조각으로 모양을 만들거나 채울 때는 다음과 같은 방법으로 합니다.

- 모양 조각이 서로 겹치거나 빈틈이 생기지 않게 이어 붙입니다.
- 꼭짓점이 서로 맞닿도록 하고, 길이가 같은 변끼리 이어 붙입니다.
- 똑같은 조각을 여러 번 사용합니다.

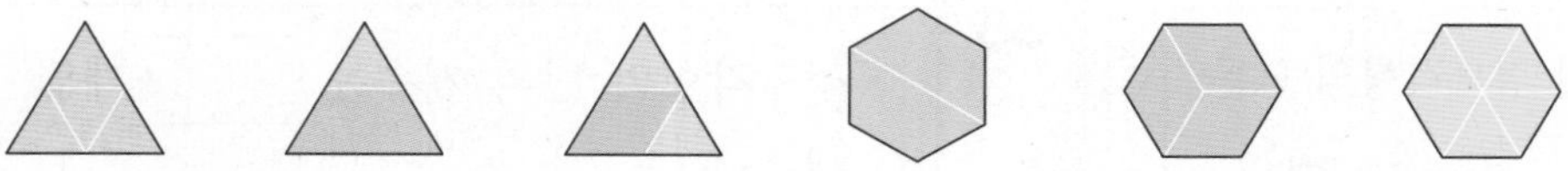

정삼각형 4개 / 정삼각형 1개, 사다리꼴 1개 / 정삼각형 2개, 평행사변형 1개 / 사다리꼴 2개 / 평행사변형 3개 / 정삼각형 6개

사다리꼴의 긴 변의 길이를 제외한 모든 모양 조각의 변의 길이는 같습니다.

풍산자 비법

대각선 ⇨ 다각형에서 서로 이웃하지 않는 두 꼭짓점을 이은 선분

예제 따라 풀어보는 연산

예제 1 도형의 한 꼭짓점에서 대각선을 모두 그어 보시오.

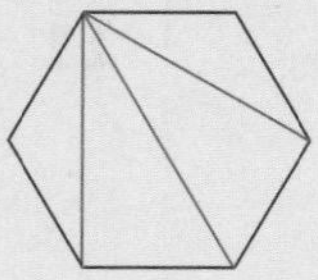

01

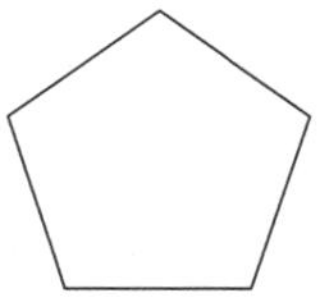

02

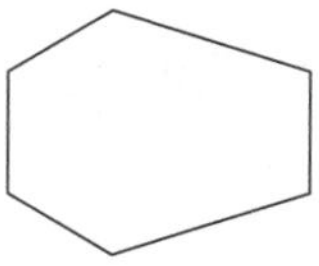

03

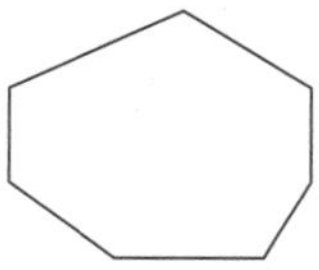

예제 2 도형에 대각선을 모두 그어 보고, 대각선의 수를 구하시오.

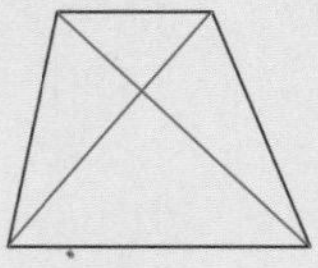

⇨ 2개

04

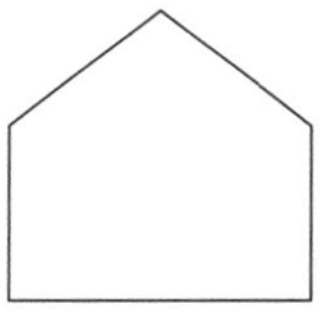

⇨

05

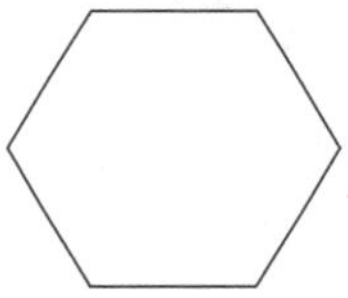

⇨

06

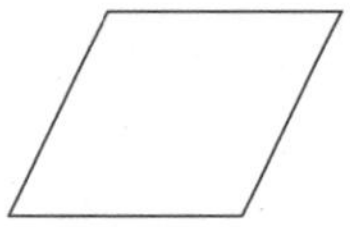

⇨

예제 3 모양을 채우고 있는 다각형의 이름을 모두 쓰시오.

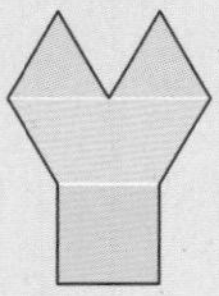

⇨ 정삼각형, 사다리꼴, 정사각형

07

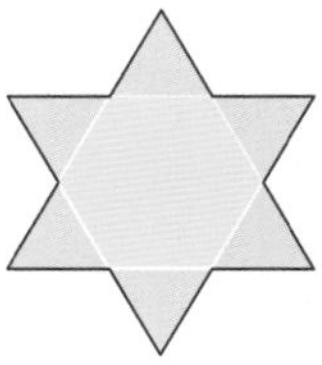

⇨

08

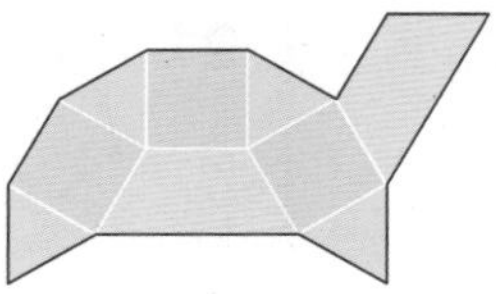

⇨

09

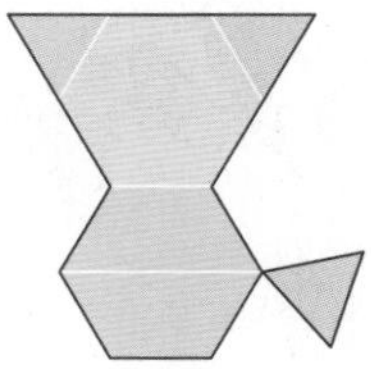

⇨

스스로 풀어보는 연산

[10-13] 도형의 한 꼭짓점에서 대각선을 모두 그어 보시오.

10

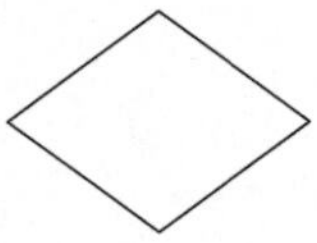

11

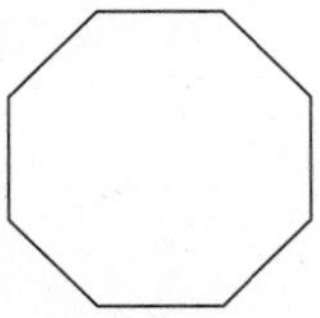

12

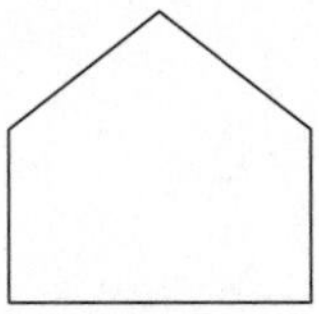

13

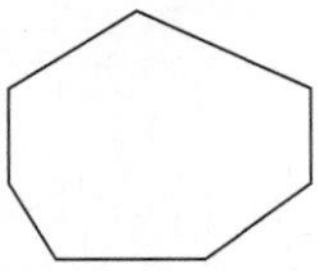

[14-17] 도형에 대각선을 모두 그어 보고, 대각선의 수를 구하시오.

14

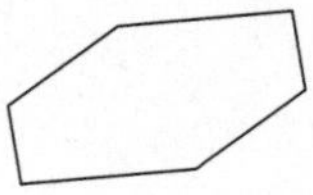

15

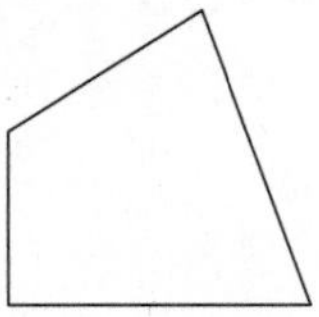

16

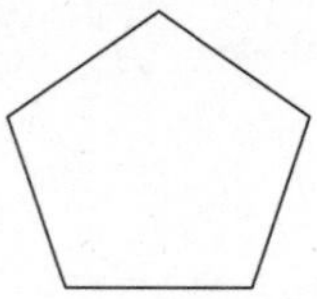

17

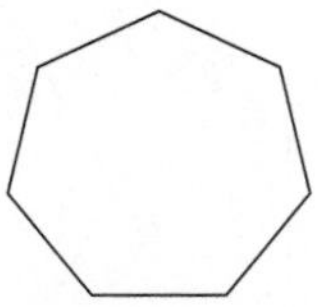

[18-21] 모양을 채우고 있는 다각형의 이름을 모두 쓰시오.

18

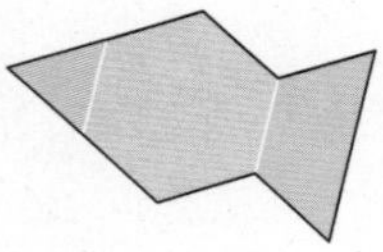

19

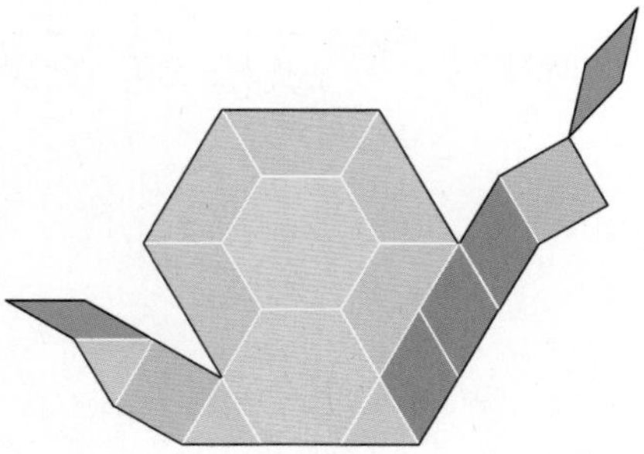

20

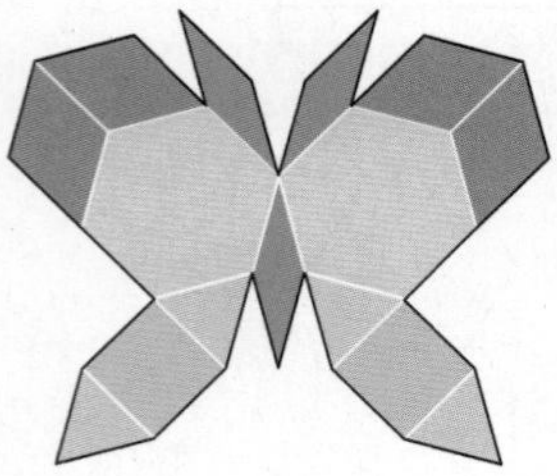

21

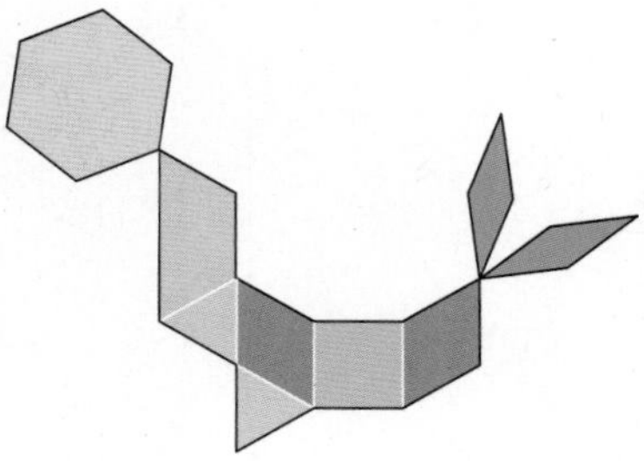

응용 연산

[22-23] 도형에 대각선을 바르게 나타낸 것의 기호를 쓰시오.

22

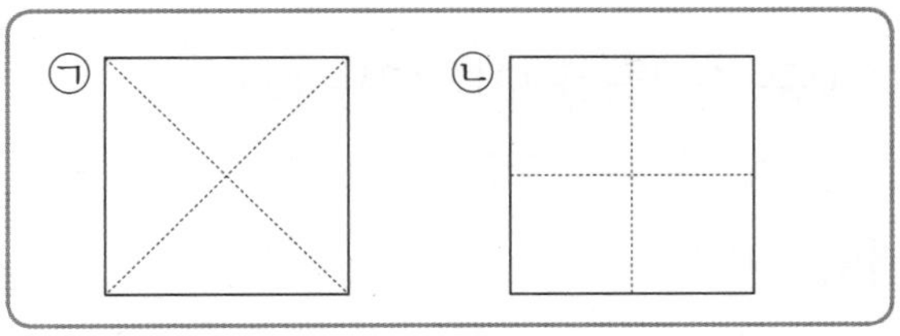

23

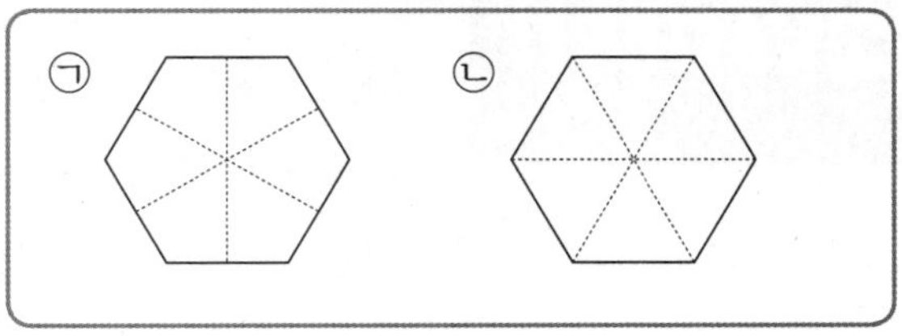

[24-25] 도형을 보고 물음에 답하시오.

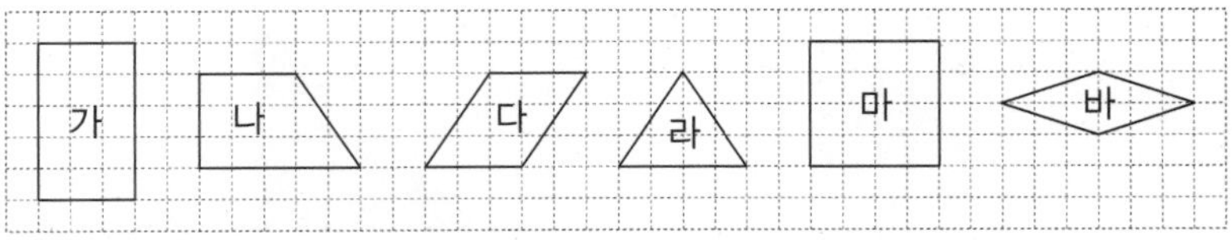

24 두 대각선이 서로 수직으로 만나는 도형을 모두 찾아 기호를 쓰시오.

25 두 대각선의 길이가 같은 도형을 모두 찾아 기호를 쓰시오.

[26-27] 대각선에 대하여 잘못 설명한 친구는 누구인지 쓰시오.

26

지윤: 삼각형은 각 꼭짓점에서 한 개씩 대각선을 그을 수 있어.
유정: 다각형의 꼭짓점이 많으면 더 많은 대각선을 그을 수 있어.

27

우진: 정오각형의 대각선은 모두 5개야.
민경: 변이 6개인 다각형에서는 대각선을 모두 6개 그을 수 있어.

[28-29] , 모양 조각을 사용하여 서로 다른 방법으로 사다리꼴을 채워 보시오.

28 방법 1

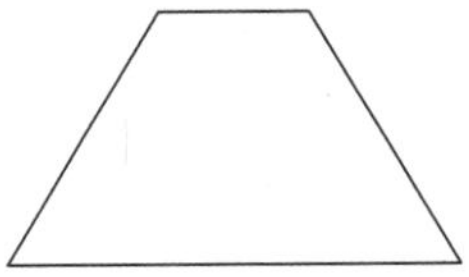

29 방법 2

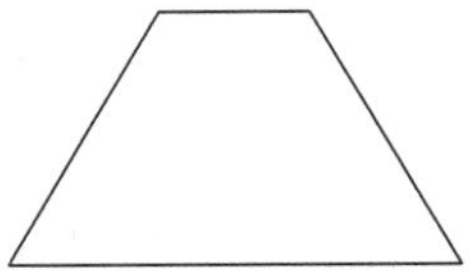

재미있게, 우리 연산하자!

지금까지 우리는 다각형을 배웠습니다.

힘들었을 텐데, 잘 풀었어요!

자, 그럼 마지막으로 지금까지 배운 다각형을 모두 이용해서
7개의 칠교 조각으로 2, 3, 4, 5, 7의 숫자를 만들고
칠교 조각 모양에 맞게 색칠해 봅시다.

풍산자 라인업

초등 풍산자로 개념을 적용하고 응용하여 연산, 유형, 서술형을 풀면 실력이 탄탄해집니다

처음 배우는 수학을 쉽게 접근하는 초등 풍산자 로드맵

- 연산 집중훈련서 ▶ **풍산자** 개념X연산
- 교과 유형학습서 ▶ **풍산자** 개념X유형
- 서술형 집중연습서 ▶ **풍산자** 개념X서술형
- 연산 반복훈련서 ▶ **풍산자** 연산

초등 풍산자 교재		하	중하	중	상
	연산 집중훈련서 **풍산자 개념X연산**	개념 적용 연산 학습, 기초 실력 완성 (하 ~ 중)			
	교과 유형학습서 **풍산자 개념X유형**		개념 응용 유형 학습, 기본 실력 완성 (중하 ~ 상)		
	서술형 집중연습서 **풍산자 개념X서술형**		개념 활용 서술형 연습, 문제 해결력 완성 (중하 ~ 중)		
출시 예정	연산 반복훈련서 **풍산자 연산**	연산만 집중적으로 반복 학습 (하 ~ 중하)			

풍산자

개념 × 연산

정답과 풀이

초등 **수학**
4-2

지학사

교과서 속 연산을 빠르게!

풍산자

개념 × 연산

정답과 풀이

초등 수학 4-2

1 ::: 분수의 덧셈과 뺄셈

01 분수의 덧셈

p. 07~09

> 예제 따라 풀어보는 연산

01 $\frac{5}{9}$　02 $\frac{10}{11}$　03 $\frac{8}{14}$

04 $1\frac{2}{5}$　05 $2\frac{12}{17}$　06 $5\frac{7}{9}$

07 $5\frac{9}{10}$　08 3　09 $2\frac{11}{15}$

10 $7\frac{1}{6}$　11 $7\frac{2}{11}$　12 $16\frac{2}{3}$

> 스스로 풀어보는 연산

13 $\frac{8}{11}$　14 $\frac{16}{18}$　15 $\frac{33}{36}$

16 $\frac{19}{26}$　17 $3\frac{7}{9}$　18 $7\frac{7}{10}$

19 6　20 $3\frac{5}{6}$　21 $2\frac{3}{8}$

22 $5\frac{9}{19}$　23 $4\frac{13}{14}$　24 $5\frac{3}{5}$

25 $4\frac{4}{5}$　26 $9\frac{2}{3}$

> 응용 연산

27 $1\frac{7}{15}$　28 $5\frac{10}{16}$　29 $>$

30 $<$　31 ㉣, ㉠, ㉡, ㉢

32 ㉡, ㉢, ㉣, ㉠

33 (왼쪽에서부터) $4\frac{1}{7}$, $5\frac{2}{7}$, $6\frac{4}{7}$

34 (왼쪽에서부터) $4\frac{4}{13}$, $5\frac{7}{13}$, $6\frac{10}{13}$

01 답 $\frac{5}{9}$

$\frac{2}{9}+\frac{3}{9}=\frac{2+3}{9}=\frac{5}{9}$

02 답 $\frac{10}{11}$

$\frac{3}{11}+\frac{7}{11}=\frac{3+7}{11}=\frac{10}{11}$

03 답 $\frac{8}{14}$

$\frac{6}{14}+\frac{2}{14}=\frac{6+2}{14}=\frac{8}{14}$

04 답 $1\frac{2}{5}$

$\frac{3}{5}+\frac{4}{5}=\frac{3+4}{5}=\frac{7}{5}=1\frac{2}{5}$

05 답 $2\frac{12}{17}$

$1\frac{2}{17}+1\frac{10}{17}=(1+1)+\left(\frac{2}{17}+\frac{10}{17}\right)=2+\frac{12}{17}$
$=2\frac{12}{17}$

06 답 $5\frac{7}{9}$

$3\frac{2}{9}+2\frac{5}{9}=(3+2)+\left(\frac{2}{9}+\frac{5}{9}\right)=5+\frac{7}{9}=5\frac{7}{9}$

07 답 $5\frac{9}{10}$

$2\frac{3}{10}+3\frac{6}{10}=(2+3)+\left(\frac{3}{10}+\frac{6}{10}\right)$
$=5+\frac{9}{10}=5\frac{9}{10}$

08 답 3

$1\frac{1}{4}+1\frac{3}{4}=(1+1)+\left(\frac{1}{4}+\frac{3}{4}\right)=2+\frac{4}{4}$
$=2+1=3$

09 답 $2\frac{11}{15}$

$2\frac{2}{15}+\frac{9}{15}=\frac{32}{15}+\frac{9}{15}=\frac{41}{15}=2\frac{11}{15}$

10 답 $7\frac{1}{6}$

$3\frac{2}{6}+3\frac{5}{6}=\frac{20}{6}+\frac{23}{6}=\frac{43}{6}=7\frac{1}{6}$

11 답 $7\frac{2}{11}$

$4\frac{8}{11}+2\frac{5}{11}=\frac{52}{11}+\frac{27}{11}=\frac{79}{11}=7\frac{2}{11}$

12 답 $16\frac{2}{3}$

$11\frac{1}{3}+5\frac{1}{3}=\frac{34}{3}+\frac{16}{3}=\frac{50}{3}=16\frac{2}{3}$

13 답 $\frac{8}{11}$

$\frac{5}{11}+\frac{3}{11}=\frac{5+3}{11}=\frac{8}{11}$

14 답 $\frac{16}{18}$

$\frac{7}{18}+\frac{9}{18}=\frac{7+9}{18}=\frac{16}{18}$

15 답 $\frac{33}{36}$

$\frac{14}{36}+\frac{19}{36}=\frac{14+19}{36}=\frac{33}{36}$

16 답 $\frac{19}{26}$

$\frac{11}{26}+\frac{8}{26}=\frac{11+8}{26}=\frac{19}{26}$

17 답 $3\frac{7}{9}$

$1\frac{4}{9}+2\frac{3}{9}=(1+2)+\left(\frac{4}{9}+\frac{3}{9}\right)=3\frac{7}{9}$

18 답 $7\frac{7}{10}$

$3\frac{5}{10}+4\frac{2}{10}=(3+4)+\left(\frac{5}{10}+\frac{2}{10}\right)=7\frac{7}{10}$

19 답 6

$2\frac{3}{4}+3\frac{1}{4}=(2+3)+\left(\frac{3}{4}+\frac{1}{4}\right)=5+\frac{4}{4}$

$=5+1=6$

20 답 $3\frac{5}{6}$

$1\frac{3}{6}+2\frac{2}{6}=\frac{9}{6}+\frac{14}{6}=\frac{23}{6}=3\frac{5}{6}$

21 답 $2\frac{3}{8}$

$1\frac{2}{8}+1\frac{1}{8}=\frac{10}{8}+\frac{9}{8}=\frac{19}{8}=2\frac{3}{8}$

22 답 $5\frac{9}{19}$

$2\frac{7}{19}+3\frac{2}{19}=(2+3)+\left(\frac{7}{19}+\frac{2}{19}\right)=5\frac{9}{19}$

23 답 $4\frac{13}{14}$

$4\frac{8}{14}+\frac{5}{14}=4+\left(\frac{8}{14}+\frac{5}{14}\right)=4\frac{13}{14}$

24 답 $5\frac{3}{5}$

$2\frac{2}{5}+3\frac{1}{5}=(2+3)+\left(\frac{2}{5}+\frac{1}{5}\right)=5\frac{3}{5}$

25 답 $4\frac{4}{5}$

$1\frac{2}{5}+3\frac{2}{5}=(1+3)+\left(\frac{2}{5}+\frac{2}{5}\right)=4\frac{4}{5}$

26 답 $9\frac{2}{3}$

$7\frac{1}{3}+2\frac{1}{3}=(7+2)+\left(\frac{1}{3}+\frac{1}{3}\right)=9\frac{2}{3}$

27 답 $1\frac{7}{15}$

$\frac{8}{15}+\frac{14}{15}=\frac{8+14}{15}=\frac{22}{15}=1\frac{7}{15}$

28 답 $5\frac{10}{16}$

$3\frac{6}{16}+2\frac{4}{16}=(3+2)+\left(\frac{6}{16}+\frac{4}{16}\right)=5\frac{10}{16}$

29 답 $>$

$\frac{11}{21}+\frac{16}{21}=\frac{11+16}{21}=\frac{27}{21}=1\frac{6}{21}$

$\frac{8}{21}+\frac{18}{21}=\frac{8+18}{21}=\frac{26}{21}=1\frac{5}{21}$

따라서 ○ 안에 알맞은 것은 $>$입니다.

30 답 $<$

$2\frac{6}{14}+1\frac{9}{14}=\frac{34}{14}+\frac{23}{14}=\frac{57}{14}=4\frac{1}{14}$

$1\frac{5}{14}+2\frac{11}{14}=\frac{19}{14}+\frac{39}{14}=\frac{58}{14}=4\frac{2}{14}$

따라서 ○ 안에 알맞은 것은 $<$입니다.

31 답 ㉣, ㉠, ㉡, ㉢

㉠ $2\frac{4}{8}+\frac{2}{8}=\frac{20}{8}+\frac{2}{8}=\frac{22}{8}=2\frac{6}{8}$

㉡ $\frac{7}{8}+1\frac{4}{8}=\frac{7}{8}+\frac{12}{8}=\frac{19}{8}=2\frac{3}{8}$

㉢ $1\frac{5}{8}+\frac{3}{8}=\frac{13}{8}+\frac{3}{8}=\frac{16}{8}=2$

㉣ $1\frac{2}{8}+1\frac{5}{8}=\frac{10}{8}+\frac{13}{8}=\frac{23}{8}=2\frac{7}{8}$

따라서 계산 결과가 큰 것부터 차례대로 기호를 쓰면 ㉣, ㉠, ㉡, ㉢입니다.

32 답 ㉡, ㉢, ㉣, ㉠

㉠ $1\frac{8}{10}+3\frac{4}{10}=\frac{18}{10}+\frac{34}{10}=\frac{52}{10}=5\frac{2}{10}$

㉡ $2\frac{5}{10}+3\frac{5}{10}=\frac{25}{10}+\frac{35}{10}=\frac{60}{10}=6$

㉢ $\frac{9}{10}+4\frac{8}{10}=\frac{9}{10}+\frac{48}{10}=\frac{57}{10}=5\frac{7}{10}$

㉣ $3\frac{7}{10}+1\frac{6}{10}=\frac{37}{10}+\frac{16}{10}=\frac{53}{10}=5\frac{3}{10}$

따라서 계산 결과가 큰 것부터 차례대로 기호를 쓰면 ㉡, ㉢, ㉣, ㉠입니다.

33 답 (왼쪽에서부터) $4\frac{1}{7}$, $5\frac{2}{7}$, $6\frac{4}{7}$

$3\frac{5}{7}+\frac{3}{7}=\frac{26}{7}+\frac{3}{7}=\frac{29}{7}=4\frac{1}{7}$

$3\frac{5}{7}+1\frac{4}{7}=\frac{26}{7}+\frac{11}{7}=\frac{37}{7}=5\frac{2}{7}$

$3\frac{5}{7}+2\frac{6}{7}=\frac{26}{7}+\frac{20}{7}=\frac{46}{7}=6\frac{4}{7}$

34 답 (왼쪽에서부터) $4\frac{4}{13}$, $5\frac{7}{13}$, $6\frac{10}{13}$

$1\frac{12}{13}+2\frac{5}{13}=\frac{25}{13}+\frac{31}{13}=\frac{56}{13}=4\frac{4}{13}$

$1\frac{12}{13}+3\frac{8}{13}=\frac{25}{13}+\frac{47}{13}=\frac{72}{13}=5\frac{7}{13}$

$1\frac{12}{13}+4\frac{11}{13}=\frac{25}{13}+\frac{63}{13}=\frac{88}{13}=6\frac{10}{13}$

02 분수의 뺄셈 (1)

p. 11~13

> 예제 따라 풀어보는 연산

01 $\frac{2}{5}$	**02** $\frac{3}{7}$	**03** $\frac{3}{11}$
04 $\frac{2}{21}$	**05** $2\frac{3}{14}$	**06** $\frac{1}{6}$
07 $3\frac{3}{18}$	**08** 3	**09** $1\frac{1}{7}$
10 $2\frac{2}{10}$	**11** $3\frac{2}{8}$	**12** $1\frac{2}{13}$

> 스스로 풀어보는 연산

13 $\frac{8}{12}$	**14** $\frac{6}{27}$	**15** $\frac{7}{20}$
16 $\frac{7}{18}$	**17** $3\frac{7}{31}$	**18** $4\frac{4}{20}$
19 $1\frac{4}{9}$	**20** $1\frac{2}{11}$	**21** $\frac{7}{30}$
22 $2\frac{5}{14}$	**23** $1\frac{2}{19}$	**24** $1\frac{10}{40}$
25 $5\frac{1}{4}$	**26** $2\frac{1}{8}$	

> 응용 연산

27 $2\frac{2}{10}$	**28** $4\frac{9}{26}$	**29** $=$
30 $<$	**31** ㉠, ㉢, ㉣, ㉡	
32 ㉡, ㉢, ㉠, ㉣		**33** 1
34 $1\frac{13}{19}$		

01 답 $\frac{2}{5}$

$\frac{4}{5}-\frac{2}{5}=\frac{4-2}{5}=\frac{2}{5}$

02 답 $\frac{3}{7}$

$\frac{4}{7}-\frac{1}{7}=\frac{4-1}{7}=\frac{3}{7}$

03 답 $\frac{3}{11}$

$\frac{10}{11}-\frac{7}{11}=\frac{10-7}{11}=\frac{3}{11}$

04 답 $\frac{2}{21}$

$\frac{4}{21}-\frac{2}{21}=\frac{4-2}{21}=\frac{2}{21}$

05 답 $2\frac{3}{14}$

$3\frac{4}{14}-1\frac{1}{14}=(3-1)+\left(\frac{4}{14}-\frac{1}{14}\right)$
$=2+\frac{3}{14}=2\frac{3}{14}$

06 답 $\frac{1}{6}$

$1\frac{2}{6}-1\frac{1}{6}=(1-1)+\left(\frac{2}{6}-\frac{1}{6}\right)=\frac{1}{6}$

07 답 $3\frac{3}{18}$

$3\frac{5}{18}-\frac{2}{18}=3+\left(\frac{5}{18}-\frac{2}{18}\right)=3+\frac{3}{18}=3\frac{3}{18}$

08 답 3

$5\frac{19}{31}-2\frac{19}{31}=(5-2)+\left(\frac{19}{31}-\frac{19}{31}\right)=3$

09 답 $1\frac{1}{7}$

$2\frac{2}{7}-1\frac{1}{7}=\frac{16}{7}-\frac{8}{7}=\frac{8}{7}=1\frac{1}{7}$

10 답 $2\frac{2}{10}$

$3\frac{9}{10}-1\frac{7}{10}=\frac{39}{10}-\frac{17}{10}=\frac{22}{10}=2\frac{2}{10}$

11 답 $3\frac{2}{8}$

$4\frac{3}{8}-1\frac{1}{8}=\frac{35}{8}-\frac{9}{8}=\frac{26}{8}=3\frac{2}{8}$

12 답 $1\frac{2}{13}$

$1\frac{12}{13}-\frac{10}{13}=\frac{25}{13}-\frac{10}{13}=\frac{15}{13}=1\frac{2}{13}$

13 답 $\frac{8}{12}$

$\frac{11}{12}-\frac{3}{12}=\frac{11-3}{12}=\frac{8}{12}$

14 답 $\frac{6}{27}$

$\frac{25}{27}-\frac{19}{27}=\frac{25-19}{27}=\frac{6}{27}$

15 답 $\frac{7}{20}$

$\frac{11}{20}-\frac{4}{20}=\frac{11-4}{20}=\frac{7}{20}$

16 답 $\frac{7}{18}$

$\frac{15}{18}-\frac{8}{18}=\frac{15-8}{18}=\frac{7}{18}$

17 답 $3\frac{7}{31}$

$3\frac{18}{31}-\frac{11}{31}=3+\left(\frac{18}{31}-\frac{11}{31}\right)=3\frac{7}{31}$

18 답 $4\frac{4}{20}$

$7\frac{13}{20}-3\frac{9}{20}=(7-3)+\left(\frac{13}{20}-\frac{9}{20}\right)=4\frac{4}{20}$

19 답 $1\frac{4}{9}$

$2\frac{5}{9}-1\frac{1}{9}=\frac{23}{9}-\frac{10}{9}=\frac{13}{9}=1\frac{4}{9}$

20 답 $1\frac{2}{11}$

$3\frac{5}{11}-2\frac{3}{11}=\frac{38}{11}-\frac{25}{11}=\frac{13}{11}=1\frac{2}{11}$

21 답 $\frac{7}{30}$

$1\frac{14}{30}-1\frac{7}{30}=(1-1)+\left(\frac{14}{30}-\frac{7}{30}\right)=\frac{7}{30}$

22 답 $2\frac{5}{14}$

$3\frac{8}{14}-1\frac{3}{14}=(3-1)+\left(\frac{8}{14}-\frac{3}{14}\right)=2\frac{5}{14}$

23 답 $1\frac{2}{19}$

$1\frac{8}{19}-\frac{6}{19}=\frac{27}{19}-\frac{6}{19}=\frac{21}{19}=1\frac{2}{19}$

24 답 $1\frac{10}{40}$

$4\frac{21}{40}-3\frac{11}{40}=(4-3)+\left(\frac{21}{40}-\frac{11}{40}\right)=1\frac{10}{40}$

25 답 $5\frac{1}{4}$

$7\frac{3}{4}-2\frac{2}{4}=(7-2)+\left(\frac{3}{4}-\frac{2}{4}\right)=5\frac{1}{4}$

26 답 $2\frac{1}{8}$

$5\frac{2}{8}-3\frac{1}{8}=(5-3)+\left(\frac{2}{8}-\frac{1}{8}\right)=2\frac{1}{8}$

27 답 $2\frac{2}{10}$

$2\frac{7}{10}-\frac{5}{10}=2+\left(\frac{7}{10}-\frac{5}{10}\right)=2\frac{2}{10}$

28 답 $4\frac{9}{26}$

$6\frac{19}{26}-2\frac{10}{26}=(6-2)+\left(\frac{19}{26}-\frac{10}{26}\right)=4\frac{9}{26}$

29 답 $=$

$5\frac{9}{18}-2\frac{4}{18}=(5-2)+\left(\frac{9}{18}-\frac{4}{18}\right)=3\frac{5}{18}$

$3\frac{8}{18}-\frac{3}{18}=3+\left(\frac{8}{18}-\frac{3}{18}\right)=3\frac{5}{18}$

따라서 ○ 안에 알맞은 것은 $=$입니다.

30 답 $<$

$4\frac{5}{9}-2\frac{1}{9}=(4-2)+\left(\frac{5}{9}-\frac{1}{9}\right)=2\frac{4}{9}$

$6\frac{7}{9}-3\frac{5}{9}=(6-3)+\left(\frac{7}{9}-\frac{5}{9}\right)=3\frac{2}{9}$

따라서 ○ 안에 알맞은 것은 $<$ 입니다.

31 답 ㉠, ㉢, ㉣, ㉡

㉠ $2\frac{3}{10}-\frac{2}{10}=2+\left(\frac{3}{10}-\frac{2}{10}\right)=2\frac{1}{10}$

㉡ $5\frac{4}{10}-2\frac{1}{10}=(5-2)+\left(\frac{4}{10}-\frac{1}{10}\right)=3\frac{3}{10}$

㉢ $4\frac{6}{10}-2\frac{3}{10}=(4-2)+\left(\frac{6}{10}-\frac{3}{10}\right)=2\frac{3}{10}$

㉣ $3\frac{9}{10}-1\frac{3}{10}=(3-1)+\left(\frac{9}{10}-\frac{3}{10}\right)=2\frac{6}{10}$

따라서 계산 결과가 작은 것부터 차례대로 기호를 쓰면 ㉠, ㉢, ㉣, ㉡입니다.

32 답 ㉡, ㉢, ㉠, ㉣

㉠ $7\frac{10}{15}-3\frac{8}{15}=(7-3)+\left(\frac{10}{15}-\frac{8}{15}\right)=4\frac{2}{15}$

㉡ $4\frac{4}{15}-1\frac{2}{15}=(4-1)+\left(\frac{4}{15}-\frac{2}{15}\right)=3\frac{2}{15}$

㉢ $5\frac{11}{15}-2\frac{6}{15}=(5-2)+\left(\frac{11}{15}-\frac{6}{15}\right)=3\frac{5}{15}$

㉣ $6\frac{14}{15}-\frac{9}{15}=6+\left(\frac{14}{15}-\frac{9}{15}\right)=6\frac{5}{15}$

따라서 계산 결과가 작은 것부터 차례대로 기호를 쓰면 ㉡, ㉢, ㉠, ㉣입니다.

33 답 1

가장 큰 수는 $2\frac{1}{7}$이고 가장 작은 수는 $1\frac{1}{7}$입니다.

따라서 가장 큰 수와 가장 작은 수의 차는

$2\frac{1}{7}-1\frac{1}{7}=(2-1)+\left(\frac{1}{7}-\frac{1}{7}\right)=1$

34 답 $1\frac{13}{19}$

가장 큰 수는 $3\frac{16}{19}$이고 가장 작은 수는 $2\frac{3}{19}$입니다.

따라서 가장 큰 수와 가장 작은 수의 차는

$3\frac{16}{19}-2\frac{3}{19}=(3-2)+\left(\frac{16}{19}-\frac{3}{19}\right)=1\frac{13}{19}$

03 분수의 뺄셈 (3)

p. 15~17

> 예제 따라 풀어보는 연산

01 $\frac{3}{10}$　02 $\frac{4}{9}$　03 $\frac{1}{6}$

04 $\frac{11}{13}$　05 $2\frac{8}{9}$　06 $\frac{5}{8}$

07 $1\frac{4}{15}$　08 $1\frac{5}{12}$　09 $\frac{2}{4}$

10 $2\frac{1}{11}$　11 $2\frac{3}{7}$　12 $1\frac{11}{12}$

> 스스로 풀어보는 연산

13 $\frac{4}{8}$　14 $\frac{7}{14}$　15 $\frac{9}{11}$

16 $\frac{6}{16}$　17 $5\frac{11}{30}$　18 $2\frac{8}{29}$

19 $3\frac{43}{59}$　20 $1\frac{1}{13}$　21 $\frac{4}{6}$

22 $2\frac{11}{23}$　23 $2\frac{27}{33}$　24 $1\frac{1}{25}$

25 $2\frac{2}{5}$　26 $\frac{9}{20}$

> 응용 연산

27 $2\frac{3}{6}$　28 $1\frac{11}{17}$　29 풀이 참조

30 풀이 참조　31 ㉢, ㉣, ㉠, ㉡

32 ㉡, ㉢, ㉠, ㉣　33 풀이 참조

34 풀이 참조

01 답 $\frac{3}{10}$

$$1-\frac{7}{10}=\frac{10}{10}-\frac{7}{10}=\frac{10-7}{10}=\frac{3}{10}$$

02 답 $\frac{4}{9}$

$$1-\frac{5}{9}=\frac{9}{9}-\frac{5}{9}=\frac{9-5}{9}=\frac{4}{9}$$

03 답 $\frac{1}{6}$

$$1-\frac{5}{6}=\frac{6}{6}-\frac{5}{6}=\frac{6-5}{6}=\frac{1}{6}$$

04 답 $\frac{11}{13}$

$$1-\frac{2}{13}=\frac{13}{13}-\frac{2}{13}=\frac{13-2}{13}=\frac{11}{13}$$

05 답 $2\frac{8}{9}$

$$4-1\frac{1}{9}=3\frac{9}{9}-1\frac{1}{9}=(3-1)+\left(\frac{9}{9}-\frac{1}{9}\right)$$
$$=2+\frac{8}{9}=2\frac{8}{9}$$

06 답 $\frac{5}{8}$

$$2-1\frac{3}{8}=1\frac{8}{8}-1\frac{3}{8}=(1-1)+\left(\frac{8}{8}-\frac{3}{8}\right)=\frac{5}{8}$$

07 답 $1\frac{4}{15}$

$$7-5\frac{11}{15}=6\frac{15}{15}-5\frac{11}{15}=(6-5)+\left(\frac{15}{15}-\frac{11}{15}\right)$$
$$=1+\frac{4}{15}=1\frac{4}{15}$$

08 답 $1\frac{5}{12}$

$$5-3\frac{7}{12}=4\frac{12}{12}-3\frac{7}{12}=(4-3)+\left(\frac{12}{12}-\frac{7}{12}\right)$$
$$=1+\frac{5}{12}=1\frac{5}{12}$$

09 답 $\frac{2}{4}$

$$3-2\frac{2}{4}=\frac{12}{4}-\frac{10}{4}=\frac{2}{4}$$

10 답 $2\frac{1}{11}$

$$4-1\frac{10}{11}=\frac{44}{11}-\frac{21}{11}=\frac{23}{11}=2\frac{1}{11}$$

11 답 $2\frac{3}{7}$

$$6-3\frac{4}{7}=\frac{42}{7}-\frac{25}{7}=\frac{17}{7}=2\frac{3}{7}$$

12 답 $1\frac{11}{12}$

$$5-3\frac{1}{12}=\frac{60}{12}-\frac{37}{12}=\frac{23}{12}=1\frac{11}{12}$$

13 답 $\frac{4}{8}$

$1-\frac{4}{8}=\frac{8}{8}-\frac{4}{8}=\frac{4}{8}$

14 답 $\frac{7}{14}$

$1-\frac{7}{14}=\frac{14}{14}-\frac{7}{14}=\frac{7}{14}$

15 답 $\frac{9}{11}$

$1-\frac{2}{11}=\frac{11}{11}-\frac{2}{11}=\frac{9}{11}$

16 답 $\frac{6}{16}$

$1-\frac{10}{16}=\frac{16}{16}-\frac{10}{16}=\frac{6}{16}$

17 답 $5\frac{11}{30}$

$6-\frac{19}{30}=5\frac{30}{30}-\frac{19}{30}=5+\left(\frac{30}{30}-\frac{19}{30}\right)=5\frac{11}{30}$

18 답 $2\frac{8}{29}$

$3-\frac{21}{29}=2\frac{29}{29}-\frac{21}{29}=2+\left(\frac{29}{29}-\frac{21}{29}\right)=2\frac{8}{29}$

19 답 $3\frac{43}{59}$

$4-\frac{16}{59}=3\frac{59}{59}-\frac{16}{59}=3+\left(\frac{59}{59}-\frac{16}{59}\right)=3\frac{43}{59}$

20 답 $1\frac{1}{13}$

$2-\frac{12}{13}=\frac{26}{13}-\frac{12}{13}=\frac{14}{13}=1\frac{1}{13}$

21 답 $\frac{4}{6}$

$2-1\frac{2}{6}=\frac{12}{6}-\frac{8}{6}=\frac{4}{6}$

22 답 $2\frac{11}{23}$

$4-1\frac{12}{23}=3\frac{23}{23}-1\frac{12}{23}$

$=(3-1)+\left(\frac{23}{23}-\frac{12}{23}\right)=2\frac{11}{23}$

23 답 $2\frac{27}{33}$

$7-4\frac{6}{33}=6\frac{33}{33}-4\frac{6}{33}$

$=(6-4)+\left(\frac{33}{33}-\frac{6}{33}\right)=2\frac{27}{33}$

24 답 $1\frac{1}{25}$

$4-2\frac{24}{25}=3\frac{25}{25}-2\frac{24}{25}$

$=(3-2)+\left(\frac{25}{25}-\frac{24}{25}\right)=1\frac{1}{25}$

25 답 $2\frac{2}{5}$

$12-9\frac{3}{5}=11\frac{5}{5}-9\frac{3}{5}$

$=(11-9)+\left(\frac{5}{5}-\frac{3}{5}\right)=2\frac{2}{5}$

26 답 $\frac{9}{20}$

$4-3\frac{11}{20}=3\frac{20}{20}-3\frac{11}{20}$

$=(3-3)+\left(\frac{20}{20}-\frac{11}{20}\right)=\frac{9}{20}$

27 답 $2\frac{3}{6}$

$3-\frac{3}{6}=\frac{18}{6}-\frac{3}{6}=\frac{15}{6}=2\frac{3}{6}$

28 답 $1\frac{11}{17}$

$6-4\frac{6}{17}=5\frac{17}{17}-4\frac{6}{17}$

$=(5-4)+\left(\frac{17}{17}-\frac{6}{17}\right)=1\frac{11}{17}$

29 답 풀이 참조

$5-3\frac{7}{12}$	$4-1\frac{9}{12}$
( )	(○)

$5-3\frac{7}{12}=4\frac{12}{12}-3\frac{7}{12}$

$=(4-3)+\left(\frac{12}{12}-\frac{7}{12}\right)=1\frac{5}{12}$

$4-1\frac{9}{12}=3\frac{12}{12}-1\frac{9}{12}$

$=(3-1)+\left(\frac{12}{12}-\frac{9}{12}\right)=2\frac{3}{12}$

30 답 풀이 참조

$3-1\frac{9}{21}$	$2-\frac{11}{21}$
(○)	( )

$3-1\frac{9}{21}=2\frac{21}{21}-1\frac{9}{21}$

$=(2-1)+\left(\frac{21}{21}-\frac{9}{21}\right)=1\frac{12}{21}$

$2-\frac{11}{21}=1\frac{21}{21}-\frac{11}{21}$

$=1+\left(\frac{21}{21}-\frac{11}{21}\right)=1\frac{10}{21}$

31 답 ㉢, ㉣, ㉠, ㉡

㉠ $3-1\frac{5}{16}=\frac{48}{16}-\frac{21}{16}=\frac{27}{16}=1\frac{11}{16}$

㉡ $7-4\frac{13}{16}=6\frac{16}{16}-4\frac{13}{16}$

$=(6-4)+\left(\frac{16}{16}-\frac{13}{16}\right)=2\frac{3}{16}$

㉢ $2-1\frac{1}{16}=\frac{32}{16}-\frac{17}{16}=\frac{15}{16}$

㉣ $5-3\frac{6}{16}=\frac{80}{16}-\frac{54}{16}=\frac{26}{16}=1\frac{10}{16}$

따라서 계산 결과가 작은 것부터 차례대로 기호를 쓰면 ㉢, ㉣, ㉠, ㉡입니다.

32 답 ㉡, ㉢, ㉠, ㉣

㉠ $10-5\frac{21}{24}=9\frac{24}{24}-5\frac{21}{24}$

$=(9-5)+\left(\frac{24}{24}-\frac{21}{24}\right)=4\frac{3}{24}$

㉡ $5-1\frac{17}{24}=4\frac{24}{24}-1\frac{17}{24}$

$=(4-1)+\left(\frac{24}{24}-\frac{17}{24}\right)=3\frac{7}{24}$

㉢ $7-3\frac{8}{24}=6\frac{24}{24}-3\frac{8}{24}$

$=(6-3)+\left(\frac{24}{24}-\frac{8}{24}\right)=3\frac{16}{24}$

㉣ $6-1\frac{10}{24}=5\frac{24}{24}-1\frac{10}{24}$

$=(5-1)+\left(\frac{24}{24}-\frac{10}{24}\right)=4\frac{14}{24}$

따라서 계산 결과가 작은 것부터 차례대로 기호를 쓰면 ㉡, ㉢, ㉠, ㉣입니다.

33 답 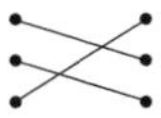

$4-2\frac{3}{7}=\frac{28}{7}-\frac{17}{7}=\frac{11}{7}=1\frac{4}{7}$

$5-1\frac{2}{7}=\frac{35}{7}-\frac{9}{7}=\frac{26}{7}=3\frac{5}{7}$

$4-2\frac{6}{7}=\frac{28}{7}-\frac{20}{7}=\frac{8}{7}=1\frac{1}{7}$

34 답 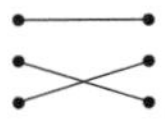

$3-1\frac{11}{31}=2\frac{31}{31}-1\frac{11}{31}$

$=(2-1)+\left(\frac{31}{31}-\frac{11}{31}\right)=1\frac{20}{31}$

$6-4\frac{19}{31}=5\frac{31}{31}-4\frac{19}{31}$

$=(5-4)+\left(\frac{31}{31}-\frac{19}{31}\right)=1\frac{12}{31}$

$2-\frac{27}{31}=1\frac{31}{31}-\frac{27}{31}$

$=1+\left(\frac{31}{31}-\frac{27}{31}\right)=1\frac{4}{31}$

04 분수의 뺄셈 (3)

p. 19~21

> 예제 따라 풀어보는 연산

01 $\frac{2}{3}$	02 $1\frac{3}{5}$	03 $1\frac{5}{9}$
04 $3\frac{5}{6}$	05 $3\frac{6}{10}$	06 $\frac{5}{8}$
07 $\frac{4}{10}$	08 $1\frac{4}{8}$	09 $2\frac{5}{7}$
10 $1\frac{4}{11}$	11 $3\frac{2}{3}$	12 $\frac{7}{8}$

> 스스로 풀어보는 연산

13 $\frac{13}{14}$	14 $\frac{8}{9}$	15 $1\frac{3}{6}$
16 $1\frac{15}{18}$	17 $\frac{6}{11}$	18 $2\frac{9}{20}$
19 $\frac{2}{3}$	20 $1\frac{11}{17}$	21 $\frac{4}{7}$
22 $1\frac{2}{5}$	23 $3\frac{3}{4}$	24 $1\frac{3}{6}$
25 $1\frac{4}{25}$	26 $\frac{20}{31}$	

> 응용 연산

27 $4\frac{7}{10}$, $2\frac{8}{10}$		28 $4\frac{5}{7}$, $3\frac{1}{7}$
29 <	30 <	31 풀이 참조
32 풀이 참조	33 7	34 5

01 답 $\frac{2}{3}$

$2\frac{1}{3}-1\frac{2}{3}=1\frac{4}{3}-1\frac{2}{3}$

$=(1-1)+\left(\frac{4}{3}-\frac{2}{3}\right)=\frac{2}{3}$

02 답 $1\frac{3}{5}$

$3\frac{1}{5}-1\frac{3}{5}=2\frac{6}{5}-1\frac{3}{5}$

$=(2-1)+\left(\frac{6}{5}-\frac{3}{5}\right)$

$=1+\frac{3}{5}=1\frac{3}{5}$

03 답 $1\frac{5}{9}$

$4\frac{4}{9}-2\frac{8}{9}=3\frac{13}{9}-2\frac{8}{9}$

$=(3-2)+\left(\frac{13}{9}-\frac{8}{9}\right)=1+\frac{5}{9}=1\frac{5}{9}$

04 답 $3\frac{5}{6}$

$6\frac{4}{6}-2\frac{5}{6}=5\frac{10}{6}-2\frac{5}{6}$

$=(5-2)+\left(\frac{10}{6}-\frac{5}{6}\right)=3+\frac{5}{6}=3\frac{5}{6}$

05 답 $3\frac{6}{10}$

$7\frac{5}{10}-3\frac{9}{10}=6\frac{15}{10}-3\frac{9}{10}$

$=(6-3)+\left(\frac{15}{10}-\frac{9}{10}\right)$

$=3+\frac{6}{10}=3\frac{6}{10}$

06 답 $\frac{5}{8}$

$5\frac{3}{8}-4\frac{6}{8}=4\frac{11}{8}-4\frac{6}{8}$

$=(4-4)+\left(\frac{11}{8}-\frac{6}{8}\right)=\frac{5}{8}$

07 답 $\frac{4}{10}$

$2\frac{3}{10}-1\frac{9}{10}=\frac{23}{10}-\frac{19}{10}=\frac{4}{10}$

08 답 $1\frac{4}{8}$

$6\frac{1}{8}-4\frac{5}{8}=\frac{49}{8}-\frac{37}{8}=\frac{12}{8}=1\frac{4}{8}$

09 답 $2\frac{5}{7}$

$4\frac{4}{7}-1\frac{6}{7}=\frac{32}{7}-\frac{13}{7}=\frac{19}{7}=2\frac{5}{7}$

10 답 $1\frac{4}{11}$

$3\frac{2}{11}-1\frac{9}{11}=\frac{35}{11}-\frac{20}{11}=\frac{15}{11}=1\frac{4}{11}$

11 답 $3\frac{2}{3}$

$6\frac{1}{3}-2\frac{2}{3}=\frac{19}{3}-\frac{8}{3}=\frac{11}{3}=3\frac{2}{3}$

12 답 $\frac{7}{8}$

$4\frac{3}{8}-3\frac{4}{8}=\frac{35}{8}-\frac{28}{8}=\frac{7}{8}$

13 답 $\frac{13}{14}$

$4\frac{2}{14}-3\frac{3}{14}=3\frac{16}{14}-3\frac{3}{14}$

$=(3-3)+\left(\frac{16}{14}-\frac{3}{14}\right)=\frac{13}{14}$

14 답 $\frac{8}{9}$

$2\frac{6}{9}-1\frac{7}{9}=\frac{24}{9}-\frac{16}{9}=\frac{8}{9}$

15 답 $1\frac{3}{6}$

$3\frac{2}{6}-1\frac{5}{6}=\frac{20}{6}-\frac{11}{6}=\frac{9}{6}=1\frac{3}{6}$

16 답 $1\frac{15}{18}$

$5\frac{3}{18}-3\frac{6}{18}=4\frac{21}{18}-3\frac{6}{18}$

$=(4-3)+\left(\frac{21}{18}-\frac{6}{18}\right)=1\frac{15}{18}$

17 답 $\frac{6}{11}$

$1\frac{5}{11}-\frac{10}{11}=\frac{16}{11}-\frac{10}{11}=\frac{6}{11}$

18 답 $2\frac{9}{20}$

$8\frac{2}{20}-5\frac{13}{20}=7\frac{22}{20}-5\frac{13}{20}$

$=(7-5)+\left(\frac{22}{20}-\frac{13}{20}\right)=2\frac{9}{20}$

19 답 $\frac{2}{3}$

$5\frac{1}{3}-4\frac{2}{3}=\frac{16}{3}-\frac{14}{3}=\frac{2}{3}$

20 답 $1\frac{11}{17}$

$4\frac{8}{17}-2\frac{14}{17}=3\frac{25}{17}-2\frac{14}{17}$

$=(3-2)+\left(\frac{25}{17}-\frac{14}{17}\right)=1\frac{11}{17}$

21 답 $\frac{4}{7}$

$4\frac{2}{7}-\frac{26}{7}=\frac{30}{7}-\frac{26}{7}=\frac{4}{7}$

22 답 $1\frac{2}{5}$

$2\frac{1}{5}-\frac{4}{5}=\frac{11}{5}-\frac{4}{5}=\frac{7}{5}=1\frac{2}{5}$

23 답 $3\frac{3}{4}$

$7\frac{1}{4}-\frac{14}{4}=\frac{29}{4}-\frac{14}{4}=\frac{15}{4}=3\frac{3}{4}$

24 답 $1\frac{3}{6}$

$8\frac{2}{6}-\frac{41}{6}=\frac{50}{6}-\frac{41}{6}=\frac{9}{6}=1\frac{3}{6}$

25 답 $1\frac{4}{25}$

$3\frac{3}{25}-\frac{49}{25}=\frac{78}{25}-\frac{49}{25}=\frac{29}{25}=1\frac{4}{25}$

26 답 $\frac{20}{31}$

$2\frac{4}{31}-\frac{46}{31}=\frac{66}{31}-\frac{46}{31}=\frac{20}{31}$

27 답 $4\frac{7}{10}$, $2\frac{8}{10}$

$7\frac{5}{10}-2\frac{8}{10}=6\frac{15}{10}-2\frac{8}{10}$

$=(6-2)+\left(\frac{15}{10}-\frac{8}{10}\right)=4\frac{7}{10}$

$4\frac{7}{10}-1\frac{9}{10}=3\frac{17}{10}-1\frac{9}{10}$

$=(3-1)+\left(\frac{17}{10}-\frac{9}{10}\right)=2\frac{8}{10}$

28 답 $4\frac{5}{7}$, $3\frac{1}{7}$

$9\frac{2}{7}-4\frac{4}{7}=\frac{65}{7}-\frac{32}{7}=\frac{33}{7}=4\frac{5}{7}$

$4\frac{5}{7}-\frac{11}{7}=\frac{33}{7}-\frac{11}{7}=\frac{22}{7}=3\frac{1}{7}$

29 답 <

$3\frac{2}{12}-1\frac{11}{12}=\frac{38}{12}-\frac{23}{12}=\frac{15}{12}=1\frac{3}{12}$

$5\frac{5}{12}-3\frac{7}{12}=\frac{65}{12}-\frac{43}{12}=\frac{22}{12}=1\frac{10}{12}$

따라서 ○ 안에 알맞은 것은 <입니다.

30 답 <

$3\frac{4}{13}-\frac{31}{13}=\frac{43}{13}-\frac{31}{13}=\frac{12}{13}$

$2\frac{2}{13}-\frac{12}{13}=\frac{28}{13}-\frac{12}{13}=\frac{16}{13}=1\frac{3}{13}$

따라서 ○ 안에 알맞은 것은 < 입니다.

31 답 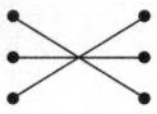

$3\frac{2}{5}-2\frac{3}{5}=\frac{17}{5}-\frac{13}{5}=\frac{4}{5}$

$4\frac{1}{5}-3\frac{4}{5}=\frac{21}{5}-\frac{19}{5}=\frac{2}{5}$

$7\frac{1}{5}-6\frac{1}{5}=\frac{36}{5}-\frac{31}{5}=\frac{5}{5}=1$

32 답 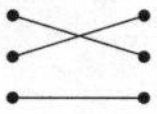

$6\frac{2}{9}-\frac{41}{9}=\frac{56}{9}-\frac{41}{9}=\frac{15}{9}=1\frac{6}{9}$

$4\frac{5}{9}-\frac{31}{9}=\frac{41}{9}-\frac{31}{9}=\frac{10}{9}=1\frac{1}{9}$

$5\frac{1}{9}-\frac{29}{9}=\frac{46}{9}-\frac{29}{9}=\frac{17}{9}=1\frac{8}{9}$

33 답 7

1을 분모가 21인 분수로 나타내면 $\frac{21}{21}$ 입니다.

$\frac{27}{21}-\frac{\square}{21}=\frac{27-\square}{21}<\frac{21}{21}$ 이므로

$27-\square<21$입니다.

$\square>6$이므로 □ 안에 들어갈 수 있는 가장 작은 자연수는 7입니다.

34 답 5

2를 분모가 8인 분수로 나타내면 $\frac{16}{8}$ 입니다.

$2\frac{4}{8}-\frac{\square}{8}=\frac{20}{8}-\frac{\square}{8}=\frac{20-\square}{8}<\frac{16}{8}$ 이므로

$20-\square<16$입니다.

$\square>4$이므로 □ 안에 들어갈 수 있는 가장 작은 자연수는 5입니다.

p. 22

재미있게, 우리 연산하자!

사다리타기 결과는 다음과 같습니다.

$\frac{15}{20}+\frac{13}{20}-\frac{19}{20}$	⇨ ㉣
$4\frac{16}{20}-3\frac{11}{20}+1\frac{6}{20}$	⇨ ㉢
$\frac{53}{20}-\frac{25}{20}+\frac{6}{20}$	⇨ ㉠
$1\frac{7}{20}+\frac{62}{20}-2\frac{16}{20}$	⇨ ㉡

㉠ $\frac{53}{20}-\frac{25}{20}+\frac{6}{20}=\frac{53-25+6}{20}=\frac{34}{20}=1\frac{14}{20}$

㉡ $1\frac{7}{20}+\frac{62}{20}-2\frac{16}{20}=\frac{27}{20}+\frac{62}{20}-\frac{56}{20}$

$=\frac{27+62-56}{20}=\frac{33}{20}=1\frac{13}{20}$

㉢ $4\frac{16}{20}-3\frac{11}{20}+1\frac{6}{20}=\frac{96}{20}-\frac{71}{20}+\frac{26}{20}$

$=\frac{96-71+26}{20}=\frac{51}{20}=2\frac{11}{20}$

㉣ $\frac{15}{20}+\frac{13}{20}-\frac{19}{20}=\frac{15+13-19}{20}=\frac{9}{20}$

답 ㉠ $1\frac{14}{20}$ ㉡ $1\frac{13}{20}$ ㉢ $2\frac{11}{20}$ ㉣ $\frac{9}{20}$

2 ::: 삼각형

05 삼각형의 분류 (1)

p. 25~27

> 예제 따라 풀어보는 연산

01 정삼각형

02 세 변의 길이가 모두 다른 삼각형

03 이등변삼각형 **04** 이등변삼각형

05 10 **06** 8 **07** 6

08 11 **09** 9 **10** 5

> 스스로 풀어보는 연산

11 ㉠, ㉡, ㉣, ㉥ **12** ㉠, ㉡, ㉣, ㉥

13 ㉡, ㉣ **14** ㉢, ㉤

15 6 **16** 20 **17** 11

18 9 **19** 7, 7 **20** 4, 4

> 응용 연산

21 ㉡ **22** ㉠ **23** 33 cm

24 19 cm **25** 54 cm **26** 36 cm

27 ㉡ **28** ㉢

21 답 ㉡

이등변삼각형은 두 변의 길이가 같은 삼각형으로 한 각이 직각이 아닐 수도 있습니다.
따라서 옳은 것은 ㉡입니다.

22 답 ㉠

정삼각형은 두 변의 길이가 같으므로 이등변삼각형이라고 할 수 있습니다.
이등변삼각형은 길이가 다른 변이 있을 수도 있으므로 정삼각형이라고 할 수 없습니다.
따라서 옳은 것은 ㉠입니다.

23 답 33 cm

이등변삼각형은 두 변의 길이가 같은 삼각형이므로 나머지 한 변의 길이는 13 cm입니다.
따라서 세 변의 길이의 합은 $13+13+7=33$(cm)입니다.

24 답 19 cm

이등변삼각형은 두 변의 길이가 같은 삼각형이므로 나머지 한 변의 길이는 5 cm입니다.
따라서 세 변의 길이의 합은 $5+5+9=19$(cm)입니다.

25 답 54 cm

정삼각형은 세 변의 길이가 같은 삼각형이므로 나머지 두 변의 길이도 18 cm입니다.
따라서 세 변의 길이의 합은 $18+18+18=54$(cm)입니다.

26 답 36 cm

정삼각형은 세 변의 길이가 같은 삼각형이므로 나머지 두 변의 길이도 12 cm입니다.
따라서 세 변의 길이의 합은 $12+12+12=36$(cm)입니다.

27 답 ㉡

이등변삼각형은 두 변의 길이가 같은 삼각형입니다.
따라서 이등변삼각형의 세 변의 길이로 알맞은 것은 ㉡입니다.

28 답 ㉢

정삼각형은 세 변의 길이가 같은 삼각형입니다.
따라서 정삼각형의 세 변의 길이로 알맞은 것은 ㉢입니다.

06 이등변삼각형과 정삼각형의 성질

p. 29~31

> 예제 따라 풀어보는 연산

01 70	**02** 64	**03** 55
04 60	**05** 60	**06** 60
07 40	**08** 46	**09** 60

> 스스로 풀어보는 연산

10 75	**11** 65	**12** 45
13 35	**14** 50	**15** 30
16 72	**17** 63	**18** 60

19 (위에서부터) 9, 60
20 (위에서부터) 60, 60
21 (위에서부터) 60, 7, 7

> 응용 연산

22 30	**23** 64	**24** ㉡
25 ㉢	**26** 풀이 참조	**27** 풀이 참조
28 ㉠, ㉡	**29** ㉠, ㉡	

04 답 60
정삼각형은 세 각의 크기가 같고 한 각의 크기는 60°입니다.

07 답 40
이등변삼각형은 두 각의 크기가 같습니다.
$\square^\circ+70^\circ+70^\circ=180^\circ$이므로
$\square^\circ=180^\circ-70^\circ-70^\circ=40^\circ$입니다.

08 답 46
이등변삼각형은 두 각의 크기가 같습니다.
$\square^\circ+67^\circ+67^\circ=180^\circ$이므로
$\square^\circ=180^\circ-67^\circ-67^\circ=46^\circ$입니다.

09 답 60
이등변삼각형은 두 각의 크기가 같습니다.
$\square^\circ+60^\circ+60^\circ=180^\circ$이므로
$\square^\circ=180^\circ-60^\circ-60^\circ=60^\circ$입니다.

19 답 (위에서부터) 9, 60
정삼각형은 세 변의 길이가 같고, 세 각의 크기가 모두 60°로 같습니다.

20 답 (위에서부터) 60, 60
정삼각형은 세 각의 크기가 모두 60°로 같습니다.

21 답 (위에서부터) 60, 7, 7
정삼각형은 세 변의 길이가 같고, 세 각의 크기가 모두 60°로 같습니다.

22 답 30
두 변의 길이가 같으므로 이등변삼각형입니다.
이등변삼각형은 두 각의 크기가 같으므로
$\square^\circ+75^\circ+75^\circ=180^\circ$,
$\square^\circ=180^\circ-75^\circ-75^\circ=30^\circ$입니다.

23 답 64
두 변의 길이가 같으므로 이등변삼각형입니다.
이등변삼각형은 두 각의 크기가 같으므로
$\square^\circ+58^\circ+58^\circ=180^\circ$,
$\square^\circ=180^\circ-58^\circ-58^\circ=64^\circ$입니다.

24 답 ㉡
이등변삼각형은 두 각의 크기가 같습니다.
따라서 이등변삼각형의 세 각의 크기로 알맞은 것은 ㉡입니다.

25 답 ㉢
정삼각형은 세 각의 크기가 모두 60°로 같습니다.
따라서 정삼각형의 세 각의 크기로 알맞은 것은 ㉢입니다.

26 답 풀이 참조
예
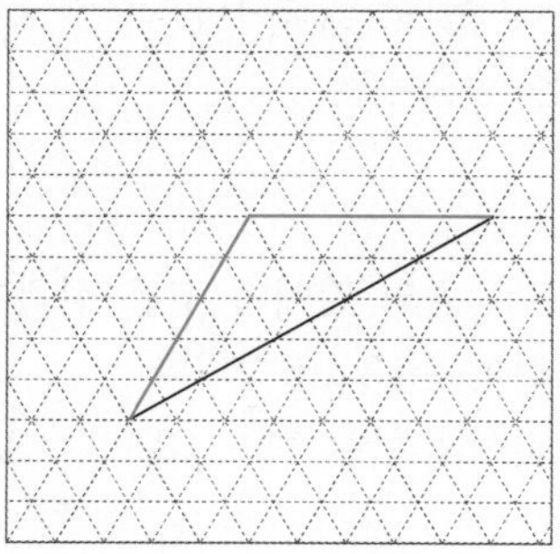

27 답 풀이 참조

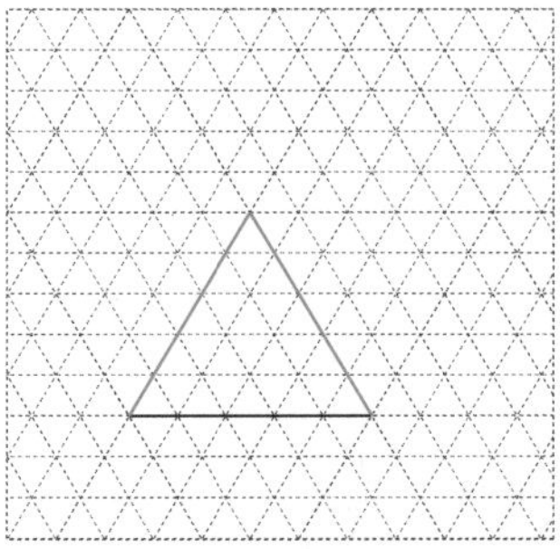

28 답 ㉠, ㉡

이등변삼각형은 두 각의 크기가 같습니다.
따라서 이등변삼각형은 ㉠, ㉡입니다.

29 답 ㉠, ㉡

정삼각형은 세 각의 크기가 모두 60°로 같습니다.
따라서 정삼각형은 ㉠, ㉡입니다.

07 삼각형의 분류 (2)

p. 33~35

> 예제 따라 풀어보는 연산

01 예각삼각형 **02** 둔각삼각형
03 예각삼각형 **04** 직각삼각형
05 예각삼각형 **06** 예각삼각형
07 둔각삼각형 **08** 직각삼각형

> 스스로 풀어보는 연산

09 예각삼각형 **10** 예각삼각형
11 둔각삼각형 **12** 직각삼각형
13 둔각삼각형 **14** 예각삼각형
15 예각삼각형 **16** 예각삼각형
17 둔각삼각형 **18** 예각삼각형
19 예각삼각형 **20** 예각삼각형

> 응용 연산

21 예각삼각형 **22** 둔각삼각형, 이등변삼각형
23 ㉠, ㉢ **24** ㉡, ㉢ **25** 풀이 참조
26 풀이 참조 **27** 둔각삼각형, 이등변삼각형
28 예각삼각형, 이등변삼각형

01 답 예각삼각형

세 각이 모두 예각이므로 예각삼각형입니다.

02 답 둔각삼각형

한 각이 둔각이므로 둔각삼각형입니다.

03 답 예각삼각형

세 각이 모두 예각이므로 예각삼각형입니다.

04 답 직각삼각형

한 각이 직각이므로 직각삼각형입니다.

05 답 예각삼각형

나머지 한 각의 크기를 □°라고 하면
□°+50°+70°=180°, □°=60°
세 각이 모두 예각이므로 예각삼각형입니다.

06 답 예각삼각형

나머지 한 각의 크기를 □°라고 하면
□°+52°+85°=180°, □°=43°
세 각이 모두 예각이므로 예각삼각형입니다.

07 **답 둔각삼각형**
나머지 한 각의 크기를 □°라고 하면
□°+30°+55°=180°, □°=95°
한 각이 둔각이므로 둔각삼각형입니다.

08 **답 직각삼각형**
나머지 한 각의 크기를 □°라고 하면
□°+20°+70°=180°, □°=90°
한 각이 직각이므로 직각삼각형입니다.

09 **답 예각삼각형**
세 각이 모두 예각이므로 예각삼각형입니다.

10 **답 예각삼각형**
세 각이 모두 예각이므로 예각삼각형입니다.

11 **답 둔각삼각형**
한 각이 둔각이므로 둔각삼각형입니다.

12 **답 직각삼각형**
한 각이 직각이므로 직각삼각형입니다.

13 **답 둔각삼각형**
한 각이 둔각이므로 둔각삼각형입니다.

14 **답 예각삼각형**
세 각이 모두 예각이므로 예각삼각형입니다.

15 **답 예각삼각형**
나머지 한 각의 크기를 □°라고 하면
□°+47°+63°=180°, □°=70°
세 각이 모두 예각이므로 예각삼각형입니다.

16 **답 예각삼각형**
나머지 한 각의 크기를 □°라고 하면
□°+52°+88°=180°, □°=40°
세 각이 모두 예각이므로 예각삼각형입니다.

17 **답 둔각삼각형**
나머지 한 각의 크기를 □°라고 하면
□°+33°+43°=180°, □°=104°
한 각이 둔각이므로 둔각삼각형입니다.

18 **답 예각삼각형**
나머지 한 각의 크기를 □°라고 하면
□°+43°+57°=180°, □°=80°
세 각이 모두 예각이므로 예각삼각형입니다.

19 **답 예각삼각형**
나머지 한 각의 크기를 □°라고 하면
□°+50°+47°=180°, □°=83°
세 각이 모두 예각이므로 예각삼각형입니다.

20 **답 예각삼각형**
나머지 한 각의 크기를 □°라고 하면
□°+88°+63°=180°, □°=29°
세 각이 모두 예각이므로 예각삼각형입니다.

21 **답 예각삼각형**
세 각이 모두 예각이므로 예각삼각형입니다. 각의 크기가 모두 다르므로 이등변삼각형과 정삼각형의 성질을 만족하지 않습니다.

22 **답 둔각삼각형, 이등변삼각형**
한 각이 둔각이므로 둔각삼각형입니다. 두 각의 크기가 같으므로 이등변삼각형입니다.

23 **답 ㉠, ㉢**
예각삼각형은 세 각이 모두 예각인 삼각형입니다.
따라서 세 각이 모두 예각인 것은 ㉠, ㉢입니다.

24 **답 ㉡, ㉢**
둔각삼각형은 한 각이 둔각인 삼각형입니다.
따라서 한 각이 둔각인 것은 ㉡, ㉢입니다.

25 **답 풀이 참조**

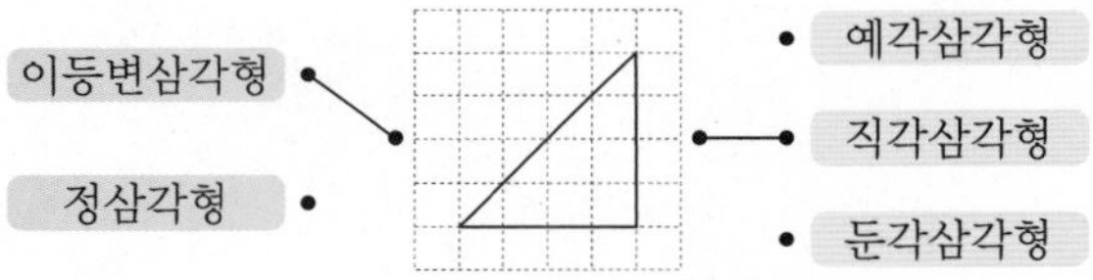

두 변의 길이가 같고 한 각이 직각인 삼각형입니다.

26 **답 풀이 참조**

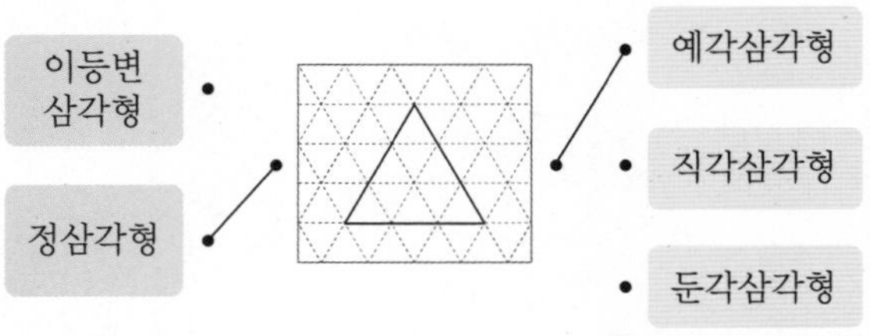

세 변의 길이가 같고 세 각의 크기가 같은 삼각형입니다.

27 답 **둔각삼각형, 이등변삼각형**

나머지 한 각의 크기를 □°라고 하면

□°+120°+30°=180°, □°=30°

한 각이 둔각이므로 둔각삼각형이며 두 각의 크기가 같으므로 이등변삼각형입니다.

28 답 **예각삼각형, 이등변삼각형**

나머지 한 각의 크기를 □°라고 하면

□°+55°+70°=180°, □°=55°

세 각이 모두 예각이므로 예각삼각형이며 두 각의 크기가 같으므로 이등변삼각형입니다.

p. 36

재미있게, 우리 연산하자!

① 정삼각형은 세 각의 크기가 모두 60°로 같으므로 아현역입니다.

② 둔각삼각형은 한 개의 둔각과 두 개의 예각을 가지므로 시청역입니다.

③ 예각삼각형은 세 각이 모두 예각인 삼각형이므로 을지로4가역입니다.

④ 직각삼각형은 한 개의 직각과 두 개의 예각을 가지므로 신당역입니다.

⑤ 정삼각형이 아닌 이등변삼각형에서 크기가 같은 각은 두 개이므로 왕십리역입니다.

답 **① 아현역 ② 시청역 ③ 을지로4가역 ④ 신당역 ⑤ 왕십리역**

3 ::: 소수의 덧셈과 뺄셈

08 소수 두 자리 수와 소수 세 자리 수

p. 39~41

> 예제 따라 풀어보는 연산

01 0.45, 영 점 사오　**02** 1.24, 일 점 이사

03 0.238, 영 점 이삼팔

04 3.949, 삼 점 구사구

05 2.14, 이 점 일사　**06** 5.83, 오 점 팔삼

07 3.92, 삼 점 구이　**08** 6.39, 육 점 삼구

09 4.216, 사 점 이일육

10 1.658, 일 점 육오팔

11 5.935, 오 점 구삼오

12 6.149, 육 점 일사구

> 스스로 풀어보는 연산

13 0.33, 영 점 삼삼　**14** 0.21, 영 점 이일

15 7.18, 칠 점 일팔　**16** 3.07, 삼 점 영칠

17 0.592, 영 점 오구이

18 0.263, 영 점 이육삼

19 4.061, 사 점 영육일

20 3.251, 삼 점 이오일

21 3.47, 삼 점 사칠　**22** 5.14, 오 점 일사

23 4.42, 사 점 사이　**24** 7.08, 칠 점 영팔

25 2.86, 이 점 팔육

26 5.761, 오 점 칠육일

> 응용 연산

27 일, 4, 소수 첫째, 0.8, 소수 둘째, 0.05

28 일, 2, 소수 둘째, 0.06, 소수 셋째, 0.007

29 0.35, 0.46　**30** 7.58, 7.73

31 진형　**32** 승혜

33 2.74, 이 점 칠사

34 5.358, 오 점 삼오팔

29 **답** 0.35, 0.46

수직선에서 작은 눈금 한 칸의 크기는 0.01입니다. 첫 번째 빈칸은 0.3에서 작은 눈금 5칸만큼 오른쪽으로 갔으므로 0.35이고, 두 번째 빈칸은 0.4에서 작은 눈금 6칸만큼 오른쪽으로 갔으므로 0.46입니다.

30 **답** 7.58, 7.73

수직선에서 작은 눈금 한 칸의 크기는 0.01입니다. 첫 번째 빈칸은 7.6에서 작은 눈금 2칸만큼 왼쪽으로 갔으므로 7.58이고, 두 번째 빈칸은 7.7에서 작은 눈금 3칸만큼 오른쪽으로 갔으므로 7.73입니다.

31 **답** **진형**

소수점 아래의 수는 숫자만 차례로 읽어야 하므로 8.021은 팔 점 영이일로 읽어야 합니다.
따라서 숫자를 바르게 읽지 않은 친구는 진형입니다.

32 **답** **승혜**

소수점 앞의 수는 자릿값으로 읽어야 하므로 23.12는 이십삼 점 일이로 읽어야 합니다.
따라서 숫자를 바르게 읽지 않은 친구는 승혜입니다.

33 **답** 2.74, **이 점 칠사**

2보다 크고 3보다 작은 소수 두 자리 수를 2.●◆라 하면
소수 첫째 자리 숫자가 7이므로 ●=7
소수 둘째 자리 숫자가 4이므로 ◆=4
따라서 조건을 만족하는 소수는 2.74이고 이 점 칠사라고 읽습니다.

34 **답** 5.358, **오 점 삼오팔**

5보다 크고 6보다 작은 소수 세 자리 수를 5.●◆■라 하면
소수 첫째 자리 숫자가 3이므로 ●=3
소수 둘째 자리 숫자가 5이므로 ◆=5
소수 둘째 자리 숫자와 소수 셋째 자리 숫자의 합이 13이므로 5+■=13, ■=8
따라서 조건을 만족하는 소수는 5.358이고
오 점 삼오팔이라고 읽습니다.

09 소수의 크기 비교와 소수 사이의 관계

p. 43~45

> 예제 따라 풀어보는 연산

01 < **02** > **03** <
04 < **05** = **06** >
07 3.6, 36 **08** 24.7, 247
09 54.11, 541.1, 5411
10 80.69, 806.9, 8069
11 3.52, 0.352
12 0.4, 0.04, 0.004

> 스스로 풀어보는 연산

13 > **14** < **15** <
16 = **17** > **18** >
19 22.9, 229 **20** 50.8, 508
21 7.53, 75.3, 753 **22** 0.96, 0.096
23 0.38, 0.038
24 7.2, 0.72, 0.072

> 응용 연산

25 1.24, 12.4 **26** 1.08, 0.108
27 1000배 **28** 100배 **29** ㉢, ㉠, ㉡, ㉣
30 ㉣, ㉢, ㉠, ㉡ **31** 110
32 200

01 **답** <

자연수 부분이 5<7이므로 5.29<7.012

02 **답** >

자연수 부분과 소수 첫째 자리 수가 같고 소수 둘째 자리 수가 6>4이므로 7.562>7.549

03 **답** <

자연수 부분과 소수 첫째 자리 수가 같고 소수 둘째 자리 수가 4<5이므로 9.042<9.05

04 **답** <

자연수 부분이 22<23이므로 22.511<23.451

05 답 =

자연수 부분과 소수 첫째 자리, 소수 둘째 자리 수가 같고 필요한 경우 소수의 오른쪽 끝자리에 0을 붙여서 나타낼 수 있으므로 12.75=12.750

06 답 >

자연수 부분이 같고 소수 첫째 자리 수가 7>5이므로 36.736>36.587

13 답 >

자연수 부분이 6>5이므로 6.785>5.256

14 답 <

자연수 부분이 11<12이므로 11.246<12.126

15 답 <

자연수 부분과 소수 첫째 자리 수가 같고 소수 둘째 자리 수가 5<6이므로 1.855<1.865

16 답 =

자연수 부분과 소수 첫째 자리, 소수 둘째 자리 수가 같고 필요한 경우 소수의 오른쪽 끝자리에 0을 붙여서 나타낼 수 있으므로 7.36=7.360

17 답 >

자연수 부분이 15>14이므로 15.005>14.998

18 답 >

자연수 부분과 소수 첫째 자리 수가 같고 소수 둘째 자리 수가 2>1이므로 10.82>10.815

27 답 1000배

㉠은 일의 자리 숫자이고 1을 나타냅니다.
㉡은 소수 셋째 자리 숫자이고 0.001을 나타냅니다.
1은 0.001의 1000배입니다.
따라서 ㉠이 나타내는 수는 ㉡이 나타내는 수의 1000배입니다.

28 답 100배

㉠은 십의 자리 숫자이고 40을 나타냅니다.
㉡은 소수 첫째 자리 숫자이고 0.4를 나타냅니다.
40은 0.4의 100배입니다.
따라서 ㉠이 나타내는 수는 ㉡이 나타내는 수의 100배입니다.

29 답 ㉢, ㉠, ㉡, ㉣

자연수 부분이 2>1이므로 ㉢이 가장 큰 수입니다. 소수 첫째 자리 수가 9>8이므로 ㉣이 가장 작은 수입니다. 소수 둘째 자리 수가 8>7이므로 ㉠>㉡입니다.
따라서 큰 수부터 차례대로 기호를 쓰면 ㉢, ㉠, ㉡, ㉣입니다.

30 답 ㉣, ㉢, ㉠, ㉡

자연수 부분이 21>20>19이므로 ㉣이 가장 큰 수이고 ㉡이 가장 작은 수입니다. 소수 첫째 자리 수가 9>7이므로 ㉢>㉠입니다.
따라서 큰 수부터 차례대로 기호를 쓰면 ㉣, ㉢, ㉠, ㉡입니다.

31 답 110

0.398의 100배는 39.8이므로 ㉠=100
24의 $\frac{1}{10}$은 2.4이므로 ㉡=10
따라서 ㉠+㉡=100+10=110입니다.

32 답 200

512.6의 $\frac{1}{100}$은 5.126이므로 ㉠=100
3.2는 0.032의 100배이므로 ㉡=100
따라서 ㉠+㉡=100+100=200입니다.

10 소수의 덧셈

p. 47~49

> 예제 따라 풀어보는 연산

01 2.8　**02** 3.9　**03** 2.99
04 3.73　**05** 2.1　**06** 5.1
07 8.2　**08** 14　**09** 1.01
10 3.39　**11** 4.51　**12** 6

> 스스로 풀어보는 연산

13 0.9　**14** 1.7　**15** 4
16 8.5　**17** 0.71　**18** 4.17
19 7.15　**20** 9.39　**21** 2.3
22 6.3　**23** 10　**24** 1.98
25 4.33　**26** 6.18　**27** 6.14
28 10.13

> 응용 연산

29 0.4, 1.2　**30** 0.18, 0.41　**31** $<$
32 $<$　**33** 풀이 참조　**34** 풀이 참조
35 풀이 참조　**36** 풀이 참조

01 답 2.8

$$2.5+0.3=\frac{25}{10}+\frac{3}{10}=\frac{28}{10}=2.8$$

02 답 3.9

$$1.5+2.4=\frac{15}{10}+\frac{24}{10}=\frac{39}{10}=3.9$$

03 답 2.99

$$0.62+2.37=\frac{62}{100}+\frac{237}{100}=\frac{299}{100}=2.99$$

04 답 3.73

$$3.48+0.25=\frac{348}{100}+\frac{25}{100}=\frac{373}{100}=3.73$$

05 답 2.1

$$\begin{array}{r} \scriptstyle 1 \\ 0.6 \\ +\ 1.5 \\ \hline 2.1 \end{array}$$

06 답 5.1

$$\begin{array}{r} \scriptstyle 1 \\ 3.2 \\ +\ 1.9 \\ \hline 5.1 \end{array}$$

07 답 8.2

$$\begin{array}{r} \scriptstyle 1 \\ 5.8 \\ +\ 2.4 \\ \hline 8.2 \end{array}$$

08 답 14

$$\begin{array}{r} \scriptstyle 1 \\ 9.5 \\ +\ 4.5 \\ \hline 14.0 \end{array}$$

09 답 1.01

$$\begin{array}{r} \scriptstyle 1\ \ 1 \\ 0.85 \\ +\ 0.16 \\ \hline 1.01 \end{array}$$

10 답 3.39

$$\begin{array}{r} \scriptstyle 1 \\ 1.74 \\ +\ 1.65 \\ \hline 3.39 \end{array}$$

11 답 4.51

$$\begin{array}{r} \scriptstyle 1 \\ 4.12 \\ +\ 0.39 \\ \hline 4.51 \end{array}$$

12 답 6

$$\begin{array}{r} \scriptstyle 1\ \ 1 \\ 3.16 \\ +\ 2.84 \\ \hline 6.00 \end{array}$$

13 답 0.9

$$0.6+0.3=\frac{6}{10}+\frac{3}{10}=\frac{9}{10}=0.9$$

14 답 1.7

$$0.8+0.9=\frac{8}{10}+\frac{9}{10}=\frac{17}{10}=1.7$$

15 답 4

$$1.5+2.5=\frac{15}{10}+\frac{25}{10}=\frac{40}{10}=4$$

16 답 8.5

$$2.6+5.9=\frac{26}{10}+\frac{59}{10}=\frac{85}{10}=8.5$$

17 답 0.71

$$0.55+0.16=\frac{55}{100}+\frac{16}{100}=\frac{71}{100}=0.71$$

18 답 4.17

$$1.75+2.42=\frac{175}{100}+\frac{242}{100}=\frac{417}{100}=4.17$$

19 답 7.15

$$1.54+5.61=\frac{154}{100}+\frac{561}{100}=\frac{715}{100}=7.15$$

20 답 9.39

$$2.57+6.82=\frac{257}{100}+\frac{682}{100}=\frac{939}{100}=9.39$$

21 답 2.3

$$\begin{array}{r} {\scriptstyle 1} \\ 1.5 \\ +\ 0.8 \\ \hline 2.3 \end{array}$$

22 답 6.3

$$\begin{array}{r} {\scriptstyle 1} \\ 3.9 \\ +\ 2.4 \\ \hline 6.3 \end{array}$$

23 답 10

$$\begin{array}{r} {\scriptstyle 1} \\ 5.7 \\ +\ 4.3 \\ \hline 10.0 \end{array}$$

24 답 1.98

$$\begin{array}{r} 1.42 \\ +\ 0.56 \\ \hline 1.98 \end{array}$$

25 답 4.33

$$\begin{array}{r} {\scriptstyle 1} \\ 4.08 \\ +\ 0.25 \\ \hline 4.33 \end{array}$$

26 답 6.18

$$\begin{array}{r} {\scriptstyle 1} \\ 3.58 \\ +\ 2.6 \\ \hline 6.18 \end{array}$$

27 답 6.14

$$\begin{array}{r} {\scriptstyle 1\ \ 1} \\ 3.47 \\ +\ 2.67 \\ \hline 6.14 \end{array}$$

28 답 10.13

$$\begin{array}{r} {\scriptstyle 1} \\ 5.9 \\ +\ 4.23 \\ \hline 10.13 \end{array}$$

29 답 0.4, 1.2

0.8에서 0.4만큼 더 가면 1.2입니다.

$0.8+0.4=1.2$

30 답 0.18, 0.41

0.23에서 0.18만큼 더 가면 0.41입니다.

$0.23+0.18=0.41$

31 답 $<$

$$\begin{array}{r} 0.12 \\ +\ 2.51 \\ \hline 2.63 \end{array} \qquad \begin{array}{r} 3.02 \\ +\ 0.51 \\ \hline 3.53 \end{array}$$

따라서 ○ 안에 알맞은 것은 $<$ 입니다.

32 답 $<$

$$\begin{array}{r} {\scriptstyle 1\ \ 1} \\ 4.15 \\ +\ 2.98 \\ \hline 7.13 \end{array} \qquad \begin{array}{r} {\scriptstyle 1} \\ 2.76 \\ +\ 5.07 \\ \hline 7.83 \end{array}$$

따라서 ○ 안에 알맞은 것은 $<$ 입니다.

33 답 **풀이 참조**

2.3	1.87	4.17
5.25	3.06	8.31
7.55	4.93	

$$\begin{array}{r} {\scriptstyle 1}\quad\ \ \\ 2.3\ \ \\ +\ 1.87 \\ \hline 4.17 \end{array} \qquad \begin{array}{r} {\scriptstyle 1}\quad\ \ \\ 5.25 \\ +\ 3.06 \\ \hline 8.31 \end{array}$$

$$\begin{array}{r} 2.3\ \ \\ +\ 5.25 \\ \hline 7.55 \end{array} \qquad \begin{array}{r} {\scriptstyle 1}\quad\ \ \\ 1.87 \\ +\ 3.06 \\ \hline 4.93 \end{array}$$

34 답 풀이 참조

(→ +, ↓ +)

9.62	4.58	14.2
8.11	1.63	9.74
17.73	6.21	

$$\begin{array}{r} {\scriptstyle 1\ 1}\quad\ \\ 9.62 \\ +\ 4.58 \\ \hline 14.20 \end{array} \qquad \begin{array}{r} 8.11 \\ +\ 1.63 \\ \hline 9.74 \end{array}$$

$$\begin{array}{r} 9.62 \\ +\ 8.11 \\ \hline 17.73 \end{array} \qquad \begin{array}{r} {\scriptstyle 1\ 1}\quad\ \\ 4.58 \\ +\ 1.63 \\ \hline 6.21 \end{array}$$

35 답 

$$\begin{array}{r} {\scriptstyle 1\ 1}\quad\ \\ 0.17 \\ +\ 0.85 \\ \hline 1.02 \end{array} \qquad \begin{array}{r} 0.51 \\ +\ 0.38 \\ \hline 0.89 \end{array}$$

$$\begin{array}{r} 0.63 \\ +\ 0.15 \\ \hline 0.78 \end{array}$$

36 답 

$$\begin{array}{r} 12.53 \\ +\ \ 6.24 \\ \hline 18.77 \end{array} \qquad \begin{array}{r} 9.45 \\ +\ 5.12 \\ \hline 14.57 \end{array}$$

$$\begin{array}{r} {\scriptstyle 1}\quad\ \ \\ 6.86 \\ +\ 8.51 \\ \hline 15.37 \end{array}$$

11 소수의 뺄셈

p. 51~53

> 예제 따라 풀어보는 연산

01 0.8 **02** 0.5 **03** 5.88
04 2.44 **05** 0.6 **06** 1.8
07 0.9 **08** 2.5 **09** 0.43
10 3.92 **11** 3.08 **12** 3.84

> 스스로 풀어보는 연산

13 0.5 **14** 3.7 **15** 2.57
16 0.92 **17** 0.1 **18** 1.37
19 0.83 **20** 7.1 **21** 1.4
22 1.6 **23** 0.45 **24** 0.68
25 4.5 **26** 4.81 **27** 3.62
28 2.67

> 응용 연산

29 $>$ **30** $<$
31 53, 38, 15, 1.5
32 315, 166, 149, 1.49 **33** 풀이 참조
34 풀이 참조 **35** ㉡, ㉠, ㉢ **36** ㉢, ㉡, ㉠

01 답 0.8

$$2.4-1.6=\frac{24}{10}-\frac{16}{10}=\frac{8}{10}=0.8$$

02 답 0.5

$$5.1-4.6=\frac{51}{10}-\frac{46}{10}=\frac{5}{10}=0.5$$

03 답 5.88

$$9.63-3.75=\frac{963}{100}-\frac{375}{100}=\frac{588}{100}=5.88$$

04 답 2.44

$$6.65-4.21=\frac{665}{100}-\frac{421}{100}=\frac{244}{100}=2.44$$

05 답 0.6

$$\begin{array}{r} 1.8 \\ -\ 1.2 \\ \hline 0.6 \end{array}$$

06 답 1.8

$$\begin{array}{r} \scriptstyle 1\ \ 10 \\ \cancel{2}.5 \\ -\ 0.7 \\ \hline 1.8 \end{array}$$

07 답 0.9

$$\begin{array}{r} \scriptstyle 1\ \ 10 \\ \cancel{2}.3 \\ -\ 1.4 \\ \hline 0.9 \end{array}$$

08 답 2.5

$$\begin{array}{r} \scriptstyle 4\ \ 10 \\ \cancel{5}.4 \\ -\ 2.9 \\ \hline 2.5 \end{array}$$

09 답 0.43

$$\begin{array}{r} 0.96 \\ -\ 0.53 \\ \hline 0.43 \end{array}$$

10 답 3.92

$$\begin{array}{r} \scriptstyle 5\ \ 10\ \ \ \ \\ \cancel{6}.48 \\ -\ 2.56 \\ \hline 3.92 \end{array}$$

11 답 3.08

$$\begin{array}{r} \scriptstyle 1\ \ 10 \\ 3.\cancel{2}5 \\ -\ 0.17 \\ \hline 3.08 \end{array}$$

12 답 3.84

$$\begin{array}{r} \scriptstyle 4\ \ 13\ \ 10 \\ \cancel{5}.\cancel{4}3 \\ -\ 1.59 \\ \hline 3.84 \end{array}$$

13 답 0.5

$0.8-0.3=\frac{8}{10}-\frac{3}{10}=\frac{5}{10}=0.5$

14 답 3.7

$5.4-1.7=\frac{54}{10}-\frac{17}{10}=\frac{37}{10}=3.7$

15 답 2.57

$2.72-0.15=\frac{272}{100}-\frac{15}{100}=\frac{257}{100}=2.57$

16 답 0.92

$8.55-7.63=\frac{855}{100}-\frac{763}{100}=\frac{92}{100}=0.92$

17 답 0.1

$0.61-0.51=\frac{61}{100}-\frac{51}{100}=\frac{10}{100}=0.1$

18 답 1.37

$1.92-0.55=\frac{192}{100}-\frac{55}{100}=\frac{137}{100}=1.37$

19 답 0.83

$2.65-1.82=\frac{265}{100}-\frac{182}{100}=\frac{83}{100}=0.83$

20 답 7.1

$8.4-1.3=\frac{84}{10}-\frac{13}{10}=\frac{71}{10}=7.1$

21 답 1.4

$$\begin{array}{r} 3.5 \\ -\ 2.1 \\ \hline 1.4 \end{array}$$

22 답 1.6

$$\begin{array}{r} \scriptstyle 4\ \ 10 \\ \cancel{5}.4 \\ -\ 3.8 \\ \hline 1.6 \end{array}$$

23 답 0.45

$$\begin{array}{r} 1.68 \\ -\ 1.23 \\ \hline 0.45 \end{array}$$

24 답 0.68

$$\begin{array}{r} \scriptstyle 1\ \ 14\ \ 10 \\ \cancel{2}.\cancel{5}2 \\ -\ 1.84 \\ \hline 0.68 \end{array}$$

25 답 4.5

$$\begin{array}{r} \scriptstyle 7\ \ 10\ \ \ \ \\ \cancel{8}.24 \\ -\ 3.74 \\ \hline 4.50 \end{array}$$

26 답 4.81

$$\begin{array}{r} 8\ \ 10 \\ 9.7\ 1 \\ -\ 4.9 \\ \hline 4.8\ 1 \end{array}$$

27 답 3.62

$$\begin{array}{r} 5\ \ 14\ \ 10 \\ 6.5\ 0 \\ -\ 2.8\ 8 \\ \hline 3.6\ 2 \end{array}$$

28 답 2.67

$$\begin{array}{r} 6\ \ 12\ \ 10 \\ 7.3\ 2 \\ -\ 4.6\ 5 \\ \hline 2.6\ 7 \end{array}$$

29 답 >

$$\begin{array}{r} 5\ \ 10 \\ 0.6\ 1 \\ -\ 0.1\ 3 \\ \hline 0.4\ 8 \end{array} \qquad \begin{array}{r} 0\ \ 11\ \ 10 \\ 1.2\ 5 \\ -\ 0.7\ 9 \\ \hline 0.4\ 6 \end{array}$$

따라서 ○ 안에 알맞은 것은 >입니다.

30 답 <

$$\begin{array}{r} 4\ \ 10 \\ 5.6\ 9 \\ -\ 1.7\ 6 \\ \hline 3.9\ 3 \end{array} \qquad \begin{array}{r} 6\ \ 10 \\ 7.2\ 8 \\ -\ 2.3\ 4 \\ \hline 4.9\ 4 \end{array}$$

따라서 ○ 안에 알맞은 것은 <입니다.

31 답 53, 38.15, 1.5

5.3은 0.1이 [53]개
− 3.8은 0.1이 [38]개
0.1이 [15]개

⇨ $\begin{array}{r} 5.3 \\ -\ 3.8 \\ \hline 1.5 \end{array}$

32 답 315, 166, 149, 1.49

3.15는 0.01이 [315]개
− 1.66은 0.01이 [166]개
0.01이 [149]개

⇨ $\begin{array}{r} 3.1\ 5 \\ -\ 1.6\ 6 \\ \hline 1.49 \end{array}$

33 답 풀이 참조

5.22	2.8	2.42
3.4	1.5	1.9
1.82	1.3	

$$\begin{array}{r} 4\ \ 10 \\ 5.2\ 2 \\ -\ 2.8 \\ \hline 2.4\ 2 \end{array} \qquad \begin{array}{r} 2\ \ 10 \\ 3.4 \\ -\ 1.5 \\ \hline 1.9 \end{array}$$

$$\begin{array}{r} 4\ \ 10 \\ 5.2\ 2 \\ -\ 3.4 \\ \hline 1.8\ 2 \end{array} \qquad \begin{array}{r} 2.8 \\ -\ 1.5 \\ \hline 1.3 \end{array}$$

34 답 풀이 참조

8.57	2.66	5.91
4.38	0.59	3.79
4.19	2.07	

$$\begin{array}{r} 7\ \ 10 \\ 8.5\ 7 \\ -\ 2.6\ 6 \\ \hline 5.9\ 1 \end{array} \qquad \begin{array}{r} 3\ \ 12\ \ 10 \\ 4.3\ 8 \\ -\ 0.5\ 9 \\ \hline 3.7\ 9 \end{array}$$

$$\begin{array}{r} 4\ \ 10 \\ 8.5\ 7 \\ -\ 4.3\ 8 \\ \hline 4.1\ 9 \end{array} \qquad \begin{array}{r} 5\ \ 10 \\ 2.6\ 6 \\ -\ 0.5\ 9 \\ \hline 2.0\ 7 \end{array}$$

35 답 ㉡, ㉠, ㉢

㉠ $\begin{array}{r} 3.5\ 2 \\ -\ 2.1 \\ \hline 1.4\ 2 \end{array}$ ㉡ $\begin{array}{r} 4\ \ 10 \\ 5.8\ 8 \\ -\ 2.9\ 5 \\ \hline 2.9\ 3 \end{array}$

㉢ $\begin{array}{r} 3\ \ 10\ \ 10 \\ 4.1\ 5 \\ -\ 3.3\ 6 \\ \hline 0.7\ 9 \end{array}$

따라서 계산 결과가 큰 것부터 차례대로 기호를 쓰면 ㉡, ㉠, ㉢입니다.

36 답 ㉢, ㉡, ㉠

㉠
$$\begin{array}{rrrrr} & \scriptstyle 0 & \scriptstyle 14 & \scriptstyle 11 & \scriptstyle 10 \\ & \cancel{1} & \cancel{5}. & \cancel{2} & 4 \\ - & & 5. & 8 & 9 \\ \hline & & 9. & 3 & 5 \end{array}$$

㉡
$$\begin{array}{rrrrr} & \scriptstyle 0 & \scriptstyle 10 & & \\ & \cancel{1} & 3. & 7 & 8 \\ - & & 4. & 2 & 1 \\ \hline & & 9. & 5 & 7 \end{array}$$

㉢
$$\begin{array}{rrrrr} & & \scriptstyle 7 & \scriptstyle 10 & \\ & 1 & \cancel{8}. & 3 & 3 \\ - & & 7. & 9 & \\ \hline & 1 & 0. & 4 & 3 \end{array}$$

따라서 계산 결과가 큰 것부터 차례대로 기호를 쓰면 ㉢, ㉡, ㉠입니다.

p. 54

재미있게, 우리 연산하자!

0.4와 0.25 중 큰 수는 0.4이므로 ❶은 0.4입니다.
❶+0.8=0.4+0.8=1.2이므로 ❷는 1.2입니다.
❷와 2.1, 즉 1.2와 2.1 중 큰 수는 2.1이므로 ❸은 2.1입니다.
❸−1.5=2.1−1.5=0.6이므로 ❹는 0.6입니다.
❹의 $\frac{1}{10}$, 즉 0.6의 $\frac{1}{10}$은 0.06이므로 ❺는 0.06입니다.
❺+0.82=0.06+0.82=0.88이므로 ❻은 0.88입니다.
❻의 10배, 즉 0.88의 10배는 8.8이므로 ❼은 8.8입니다.
❼−6.9=8.8−6.9=1.9이므로 ❽은 1.9입니다.
❽+0.32=1.9+0.32=2.22이므로 ❾는 2.22입니다.
❾−1.5=2.22−1.5=0.72
따라서 ❿에 해당하는 수는 0.72입니다.

답 0.72

4 ::: 사각형

12 수직

p. 57~59

> 예제 따라 풀어보는 연산

01 × **02** × **03** ○
04 직선 나 **05** 직선 다 **06** 직선 다
07 1쌍 **08** 없다 **09** 4쌍

> 스스로 풀어보는 연산

10 풀이 참조 **11** 풀이 참조 **12** 풀이 참조
13 풀이 참조 **14** 직선 다, 직선 라
15 직선 라 **16** 직선 다
17. 직선 다, 직선 라 **18** 1쌍
19 없다 **20** 4쌍 **21** 1쌍

> 응용 연산

22 직선 다, 직선 마
23 직선 라, 직선 바 **24** 풀이 참조
25 풀이 참조 **26** 변 ㄱㄹ, 변 ㄴㄷ
27 변 ㄱㄹ **28** 풀이 참조 **29** 풀이 참조

07 답 1쌍

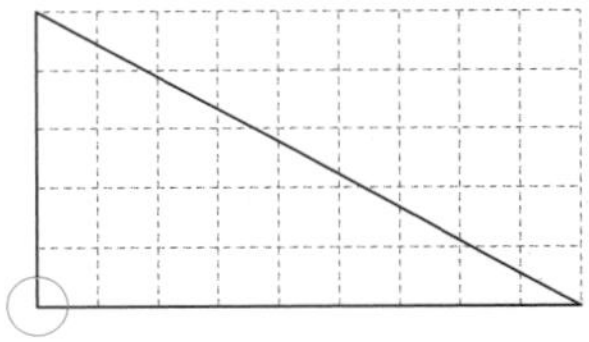

08 답 없다
만나서 직각을 이루는 두 변이 없습니다.

09 답 4쌍

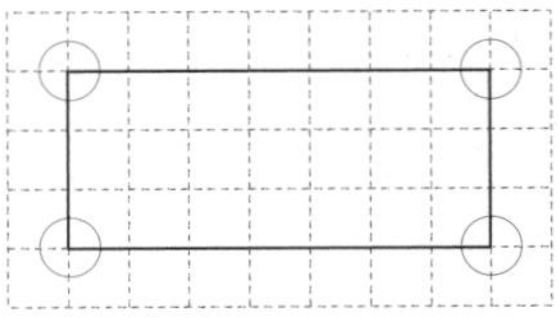

10 답 풀이 참조

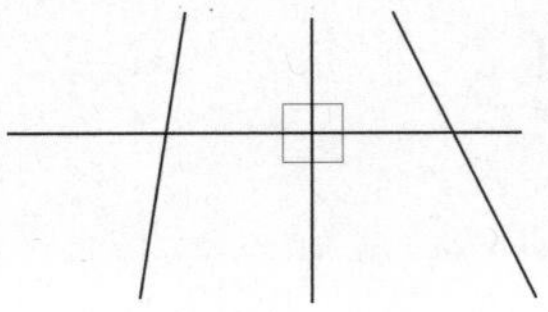

11 답 풀이 참조

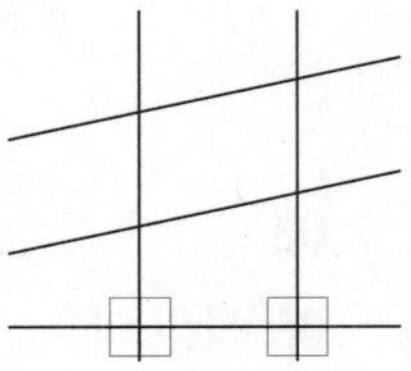

12 답 풀이 참조

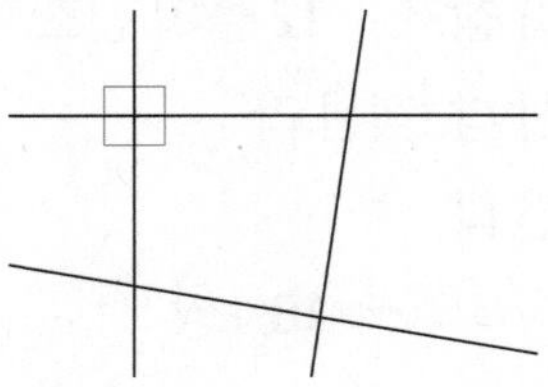

13 답 풀이 참조

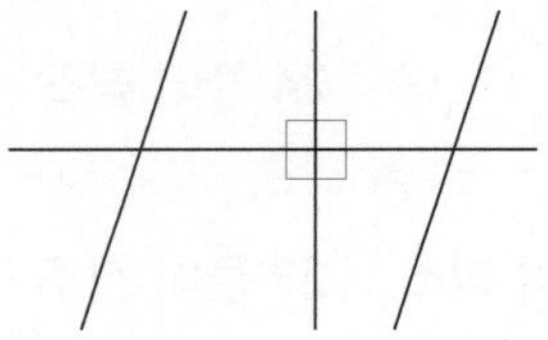

14 답 직선 다, 직선 라

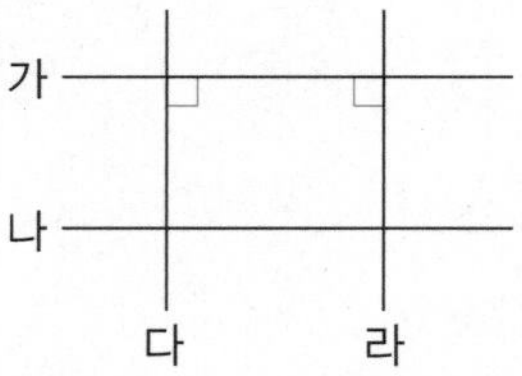

직선 **가**에 대한 수선은 직선 **다**와 직선 **라**입니다.

15 답 직선 라

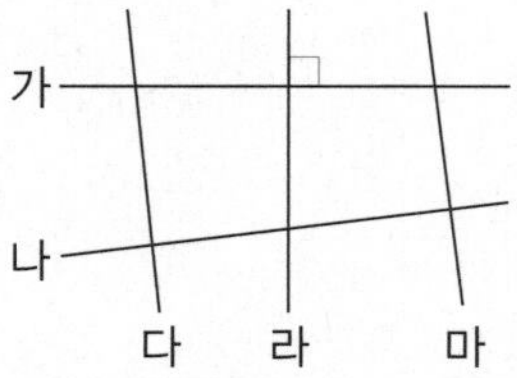

직선 **가**에 대한 수선은 직선 **라**입니다.

16 답 직선 다

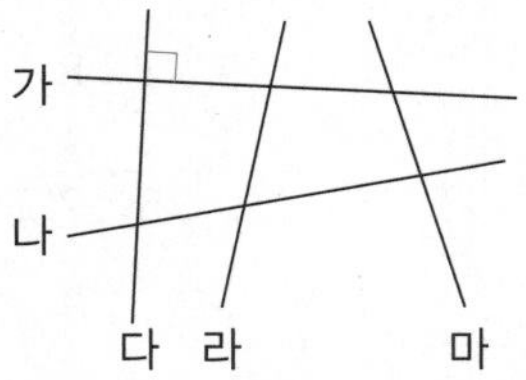

직선 **가**에 대한 수선은 직선 **다**입니다.

17 답 직선 다, 직선 라

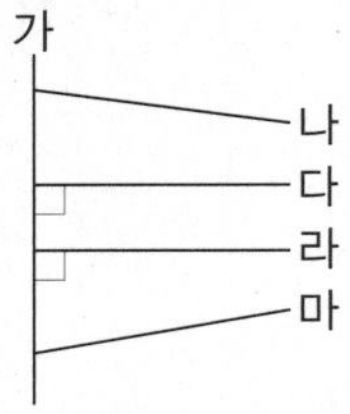

직선 **가**에 대한 수선은 직선 **다**와 직선 **라**입니다.

18 답 1쌍

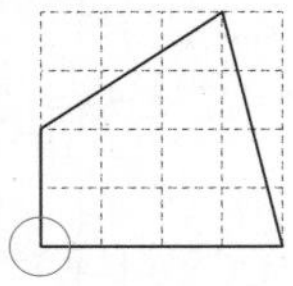

19 답 없다

만나서 직각을 이루는 두 변이 없습니다.

20 답 4쌍

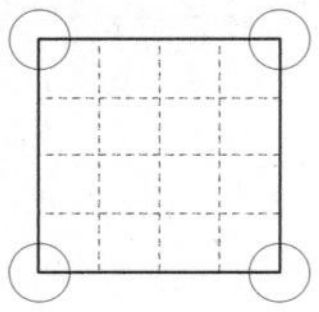

21 답 1쌍

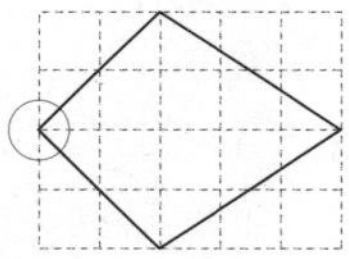

22 답 직선 다, 직선 마

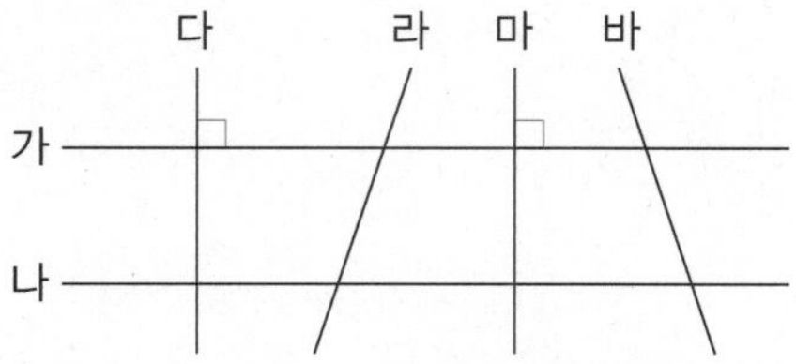

직선 **가**와 수직인 직선은 직선 **다**와 직선 **마**입니다.

23 답 직선 라, 직선 바

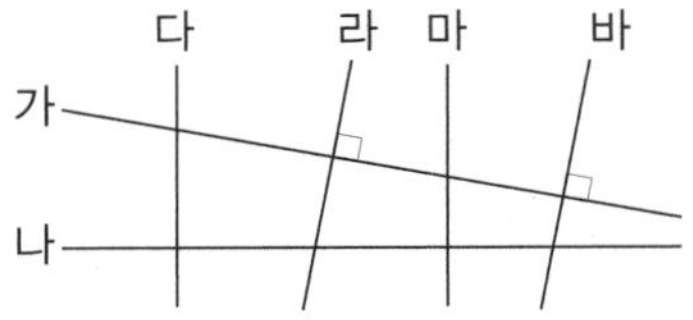

직선 **가**와 수직인 직선은 직선 **라**와 직선 **바**입니다.

24 답 풀이 참조

예

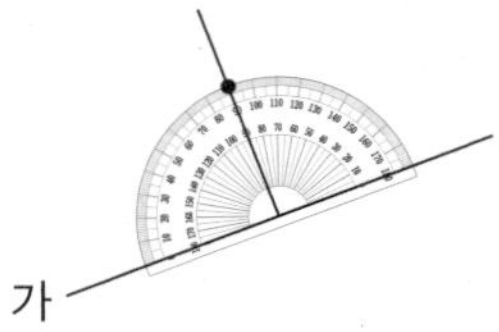

25 답 풀이 참조

예

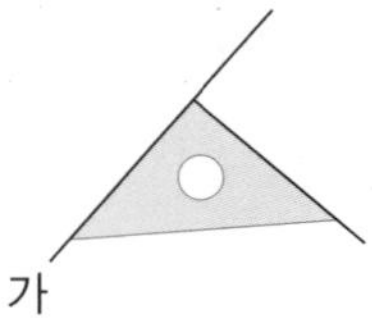

26 답 변 ㄱㄹ, 변 ㄴㄷ

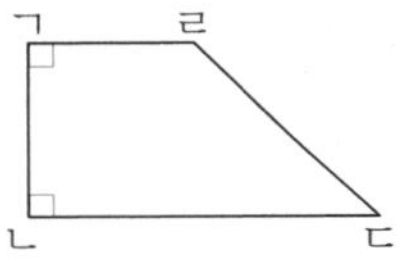

변 ㄱㄴ에 대한 수선은 변 ㄱㄹ, 변 ㄴㄷ입니다.

27 답 변 ㄱㄹ

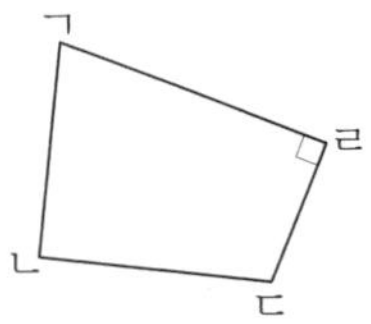

변 ㄷㄹ에 대한 수선은 변 ㄱㄹ입니다.

28 답 풀이 참조

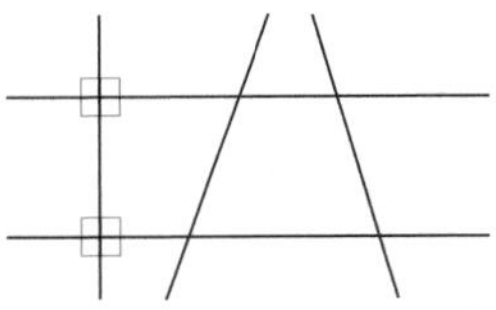

29 답 풀이 참조

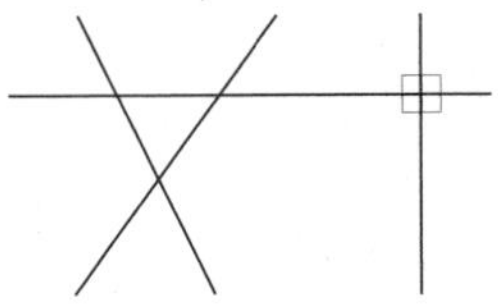

13 평행

p. 61~63

> 예제 따라 풀어보는 연산

01 직선 다와 직선 라

02 직선 나와 직선 라, 직선 다와 직선 마

03 직선 다와 직선 마, 직선 라와 직선 바

04 변 ㄱㄴ과 변 ㄹㄷ

05 변 ㄱㄴ과 변 ㄹㄷ, 변 ㄴㄷ과 변 ㄱㄹ

06 변 ㄴㄷ과 변 ㅁㄹ, 변 ㄱㅁ과 변 ㄷㄹ

07 선분 ㉢　　**08** 선분 ㉤

> 스스로 풀어보는 연산

09 직선 가와 직선 나, 직선 다와 직선 마

10 직선 다와 직선 마

11 직선 가와 직선 나, 직선 라와 직선 바

12 직선 가와 직선 나, 직선 다와 직선 마, 직선 라와 직선 바

13 변 ㄱㄴ과 변 ㄹㄷ, 변 ㄱㄹ과 변 ㄴㄷ

14 변 ㄱㄹ과 변 ㄴㄷ

15 변 ㄱㄴ과 변 ㄹㄷ

16 변 ㄱㅂ과 변 ㄷㄹ

17 3 cm　　**18** 5 cm　　**19** 4 cm

20 9 cm

> 응용 연산

21 풀이 참조　　**22** 풀이 참조　　**23** 영미

24 민주　　**25** 풀이 참조　　**26** 풀이 참조

27 변 ㄴㄷ, 7 cm

28 변 ㄱㄴ, 3 cm

07 답 선분 ㉢

평행선 사이의 수선의 길이를 평행선 사이의 거리라고 합니다. 평행선 사이의 수선을 찾으면 선분 ㉢입니다.

08 답 선분 ㉤

평행선 사이의 수선의 길이를 평행선 사이의 거리라고 합니다. 평행선 사이의 수선을 찾으면 선분 ㉤입니다.

21 답 풀이 참조

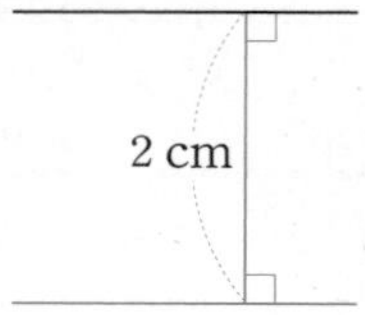

22 답 풀이 참조

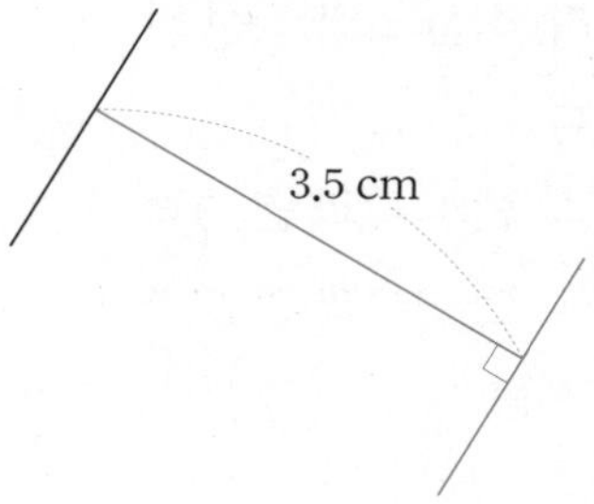

23 답 영미

평행한 두 직선은 만나지 않으므로 각을 이루지 않습니다.

따라서 잘못 설명한 친구는 영미입니다.

24 답 민주

평행선 사이의 거리는 어디에서 재어도 모두 같습니다.

따라서 잘못 설명한 친구는 민주입니다.

25 답 풀이 참조

예

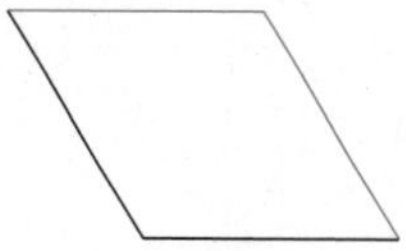

26 답 풀이 참조

예

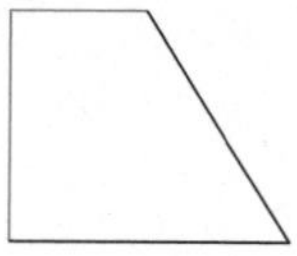

27 답 변 ㄴㄷ, 7 cm

변 ㄱㄹ과 평행한 변은 변 ㄴㄷ입니다.

변 ㄱㄹ과 변 ㄴㄷ이 평행하므로 평행선 사이의 거리는 변 ㄷㄹ의 길이인 7 cm입니다.

28 답 변 ㄱㄴ, 3 cm

변 ㄷㄹ과 평행한 변은 변 ㄱㄴ입니다.

변 ㄷㄹ과 변 ㄱㄴ이 평행하므로 평행선 사이의 거리는 변 ㄷㄴ의 길이인 3 cm입니다.

14 여러 가지 사각형

p. 65~67

> 예제 따라 풀어보는 연산

01 ㉢ **02** ㉠ **03** ㉠, ㉡, ㉢

04 ㉡, ㉢ **05** ㉠, ㉢ **06** ㉠, ㉡

07 ㉡, ㉢ **08** ㉠ **09** ○

10 × **11** × **12** ○

> 스스로 풀어보는 연산

13 가, 나, 다, 라, 마, 바, 사

14 가, 다, 라, 마, 바 **15** 마, 바

16 풀이 참조 **17** 풀이 참조 **18** 풀이 참조

19 풀이 참조 **20** 풀이 참조 **21** 풀이 참조

22 풀이 참조 **23** 풀이 참조

> 응용 연산

24 ㉡ **25** ㉠

26 사다리꼴, 평행사변형, 직사각형

27 사다리꼴, 평행사변형, 마름모

28 풀이 참조 **29** 풀이 참조 **30** 36

31 15

16 답 풀이 참조

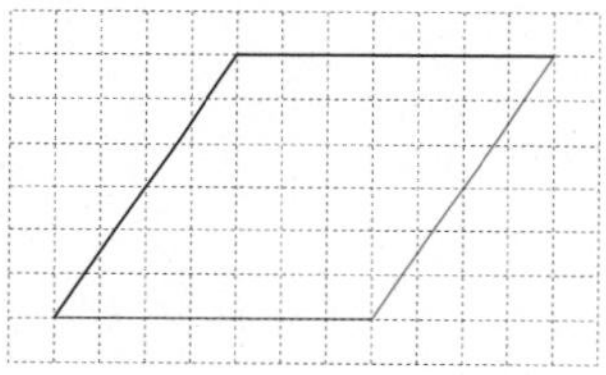

17 답 풀이 참조

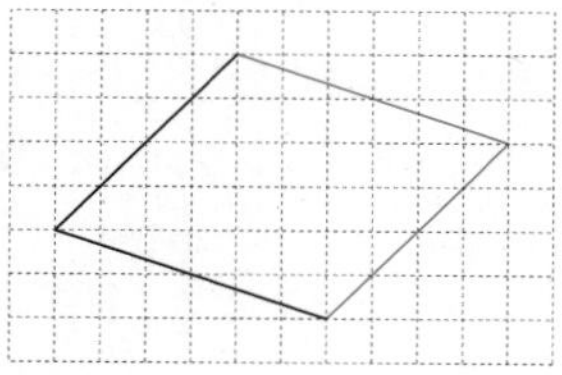

18 답 풀이 참조

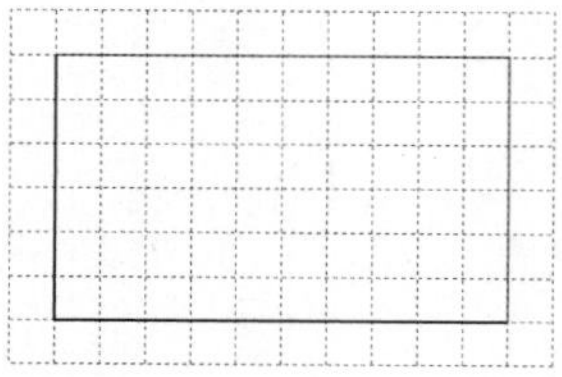

19 답 풀이 참조

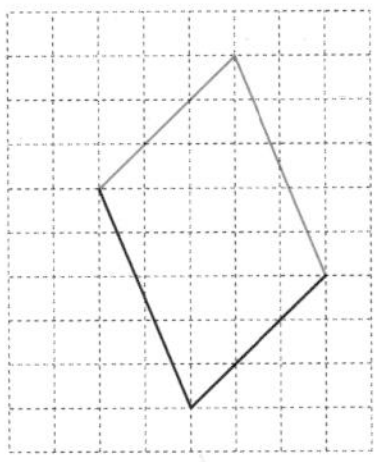

20 답 풀이 참조

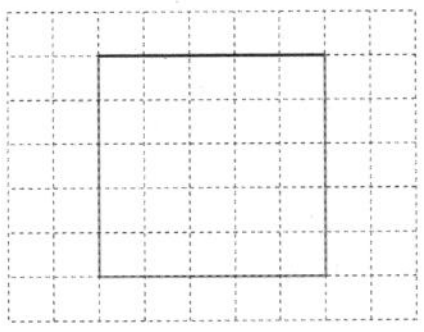

21 답 풀이 참조

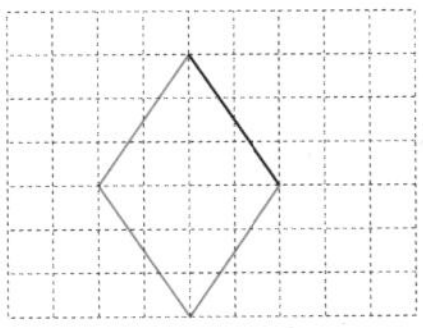

22 답 풀이 참조

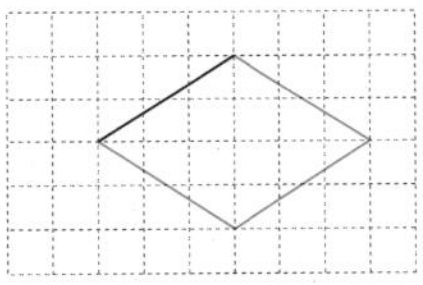

23 답 풀이 참조

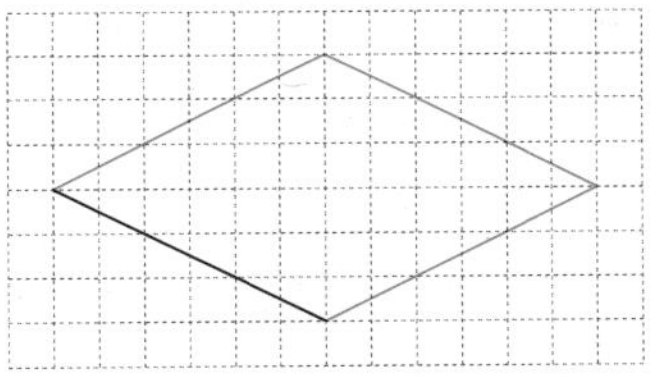

24 답 ㉡

마름모는 네 변의 길이가 모두 같은 사각형입니다.
따라서 사각형에 대한 설명으로 옳지 않은 것은 ㉡입니다.

25 답 ㉠

평행사변형은 마주 보는 두 쌍의 변이 서로 평행한 사각형입니다.
마름모는 마주 보는 두 쌍의 변이 서로 평행하므로 사다리꼴입니다.
따라서 사각형에 대한 설명으로 옳지 않은 것은 ㉠입니다.

26 답 사다리꼴, 평행사변형, 직사각형

주어진 도형은 마주 보는 두 쌍의 변이 서로 평행한 사각형입니다.
따라서 사각형의 이름이 될 수 있는 것은 사다리꼴, 평행사변형, 직사각형입니다.

27 답 사다리꼴, 평행사변형, 마름모

주어진 도형은 마주 보는 두 쌍의 변이 서로 평행하고 네 변의 길이가 모두 같은 사각형입니다.
따라서 사각형의 이름이 될 수 있는 것은 사다리꼴, 평행사변형, 마름모입니다.

28 답 풀이 참조

예
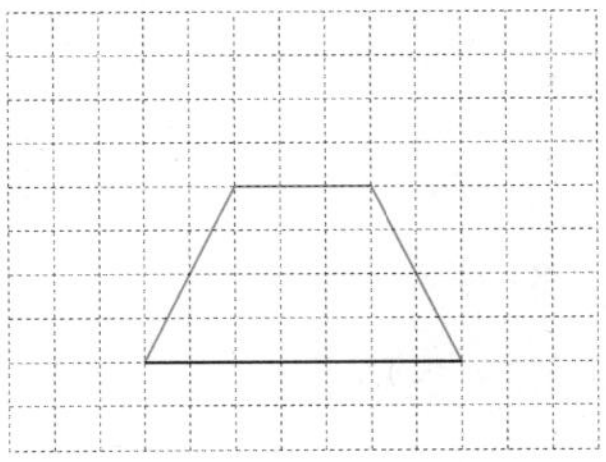

29 답 풀이 참조

예
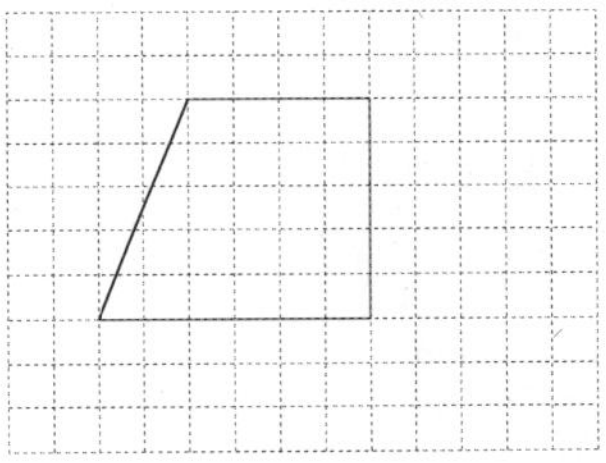

30 답 36

마름모는 네 변의 길이가 모두 같은 사각형입니다.
따라서 한 변의 길이가 9 cm인 마름모의 네 변의 길이의 합은 $9 \times 4 = 36$(cm)입니다.

31 답 15

마름모는 네 변의 길이가 모두 같은 사각형입니다.
따라서 60 m의 끈으로 만들 수 있는 가장 큰 마름모의 한 변의 길이는 $60 \div 4 = 15$(m)입니다.

15 평행사변형과 마름모의 성질

p. 69~71

> 예제 따라 풀어보는 연산

01 (왼쪽에서부터) 15, 11
02 (왼쪽에서부터) 9, 6
03 (왼쪽에서부터) 120, 60
04 (왼쪽에서부터) 45, 135
05 (왼쪽에서부터) 8, 40
06 (위에서부터) 6, 60
07 (왼쪽에서부터) 12, 55
08 (위에서부터) 7, 135
09 (위에서부터) 90, 5.5, 9
10 10, 10, 10

> 스스로 풀어보는 연산

11 (왼쪽에서부터) 7.5, 4
12 (왼쪽에서부터) 20, 14
13 (왼쪽에서부터) 125, 55
14 (왼쪽에서부터) 75, 105
15 (왼쪽에서부터) 60, 10
16 (왼쪽에서부터) 8, 110
17 11, 11, 11
18 8.5, 8.5, 8.5
19 (위에서부터) 4, 45
20 (위에서부터) 7, 64
21 (위에서부터) 3.3, 122
22 (위에서부터) 90, 8.5, 13.5

> 응용 연산

23 4 **24** 65 **25** 35 cm
26 32 cm **27** ㉠ **28** ㉠
29 풀이 참조 **30** 풀이 참조

01 답 (왼쪽에서부터) 15, 11
평행사변형은 마주 보는 두 변의 길이가 같습니다.

02 답 (왼쪽에서부터) 9, 6
평행사변형은 마주 보는 두 변의 길이가 같습니다.

03 답 (왼쪽에서부터) 120, 60
평행사변형은 마주 보는 두 각의 크기가 같습니다.

04 답 (왼쪽에서부터) 45, 135
평행사변형은 마주 보는 두 각의 크기가 같습니다.

05 답 (왼쪽에서부터) 8, 40
마름모는 네 변의 길이가 모두 같고 마주 보는 두 각의 크기가 같습니다.

06 답 (위에서부터) 6, 60
마름모는 네 변의 길이가 모두 같고 마주 보는 두 각의 크기가 같습니다.

07 답 (왼쪽에서부터) 12, 55
마름모는 네 변의 길이가 모두 같고 마주 보는 두 각의 크기가 같습니다.

08 답 (위에서부터) 7, 135
마름모는 네 변의 길이가 모두 같고 이웃한 두 각의 크기의 합이 180°입니다.

09 답 (위에서부터) 90, 5.5, 9
마름모는 마주 보는 꼭짓점끼리 이은 선분이 서로 수직으로 만나고 이등분합니다.

10 답 10, 10, 10
마름모는 네 변의 길이가 모두 같습니다.

11 답 (왼쪽에서부터) 7.5, 4
평행사변형은 마주 보는 두 변의 길이가 같습니다.

12 답 (왼쪽에서부터) 20, 14
평행사변형은 마주 보는 두 변의 길이가 같습니다.

13 답 (왼쪽에서부터) 125, 55
평행사변형은 마주 보는 두 각의 크기가 같습니다.

14 답 (왼쪽에서부터) 75, 105
평행사변형은 마주 보는 두 각의 크기가 같습니다.

15 답 (왼쪽에서부터) 60, 10
평행사변형은 마주 보는 두 변의 길이가 같고 마주 보는 두 각의 크기가 같습니다.

16 답 (왼쪽에서부터) 8, 110
평행사변형은 마주 보는 두 변의 길이가 같고 이웃한 두 각의 크기의 합이 180°입니다.

17 답 11, 11, 11
마름모는 네 변의 길이가 모두 같습니다.

18 답 8.5, 8.5, 8.5
마름모는 네 변의 길이가 모두 같습니다.

19 답 (위에서부터) 4, 45
마름모는 네 변의 길이가 모두 같고 마주 보는 두 각의 크기가 같습니다.

20 답 (위에서부터) 7, 64
마름모는 네 변의 길이가 모두 같고 마주 보는 두 각의 크기가 같습니다.

21 답 (위에서부터) 3.3, 122
마름모는 네 변의 길이가 모두 같고 이웃한 두 각의 크기의 합이 180°입니다.

22 답 (위에서부터) 90, 8.5, 13.5
마름모는 마주 보는 꼭짓점끼리 이은 선분이 서로 수직으로 만나고 이등분합니다.

23 답 4
평행사변형은 마주 보는 두 변의 길이가 같으므로
(변 ㄱㅁ)=(변 ㄷㄹ)=8 cm입니다.
따라서 변 ㄴㄷ의 길이는 12−8=4(cm)입니다.

24 답 65
평행사변형에서 마주 보는 두 각의 크기는 같으므로
(각 ㄴㄷㄹ)=115°입니다.
각의 변이 일직선를 이루면 180°이므로
□°=180°−115°=65°입니다.

25 답 35 cm
평행사변형은 마주 보는 두 변의 길이가 같습니다.
따라서 네 변의 길이의 합은
10.5+7+10.5+7=35(cm)입니다.

26 답 32 cm
마름모는 네 변의 길이가 모두 같습니다.
따라서 네 변의 길이의 합은 8+8+8+8=32(cm)입니다.

27 답 ㉠
평행사변형에서 이웃한 두 각의 크기의 합은 180°이지만 마주 보는 두 각의 크기의 합은 180°가 아닐 수도 있습니다.
따라서 사각형에 대한 설명으로 옳지 않은 것은 ㉠입니다.

28 답 ㉠
평행사변형은 마주 보는 두 변의 길이가 같지만 이웃한 두 변의 길이는 같지 않을 수도 있습니다.
따라서 사각형에 대한 설명으로 옳지 않은 것은 ㉠입니다.

29 답 풀이 참조
예
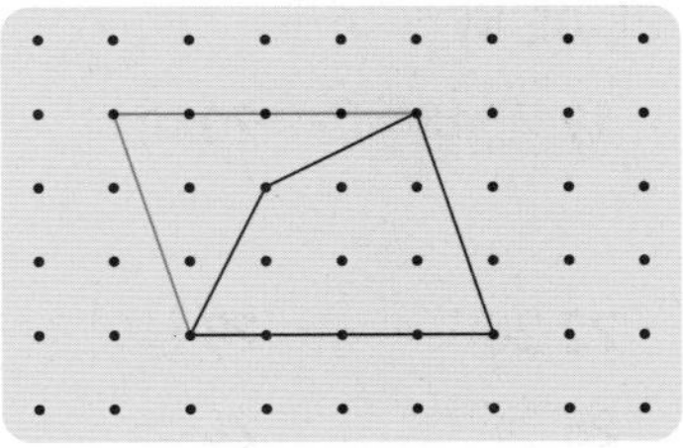

30 답 풀이 참조
예
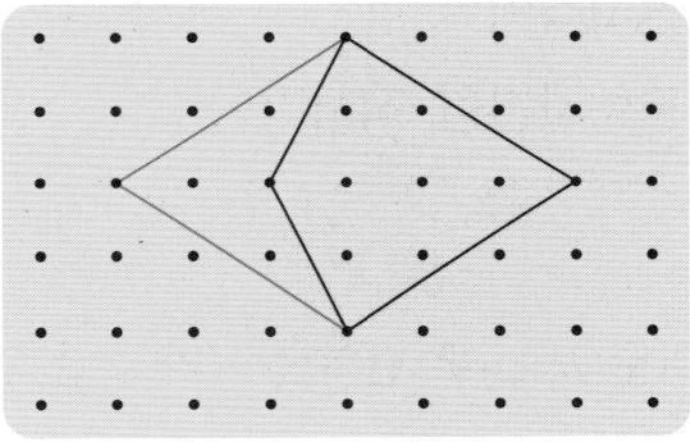

16 직사각형과 정사각형의 성질

p. 73~75

> 예제 따라 풀어보는 연산

01 10 **02** 15 **03** 3
04 10 **05** 나, 라, 마 **06** 라
07 라, 마 **08** 라

> 스스로 풀어보는 연산

09 7 **10** 4 **11** 12
12 16 **13** 90 **14** 5
15 12 **16** 90
17 가, 나, 다, 라, 마, 바
18 가, 라, 바 **19** 가, 바 **20** 바

> 응용 연산

21 16 **22** 20 **23** 풀이 참조
24 풀이 참조 **25** ㉠ **26** ㉢
27 사다리꼴, 평행사변형, 마름모, 직사각형, 정사각형
28 사다리꼴, 평행사변형, 직사각형

01 답 10
직사각형은 마주 보는 두 변의 길이가 같습니다.

02 답 15
직사각형은 마주 보는 두 변의 길이가 같습니다.

03 답 3
정사각형은 마름모의 성질을 모두 만족하므로 마주 보는 꼭짓점끼리 이은 선분이 서로 수직으로 만나고 이등분합니다.

04 답 10
정사각형은 마름모의 성질을 모두 만족하므로 마주 보는 꼭짓점끼리 이은 선분이 서로 수직으로 만나고 이등분합니다.

05 답 나, 라, 마
마주 보는 두 쌍의 변이 서로 평행한 사각형은 **나, 라, 마**입니다.

06 답 라
네 변의 길이가 모두 같은 사각형은 **라**입니다.

07 답 라, 마
평행사변형의 성질을 모두 만족하고 네 각이 모두 직각인 사각형은 **라, 마**입니다.

08 답 라
마름모의 성질을 모두 만족하고 네 각이 모두 직각인 사각형은 **라**입니다.

09 답 7
직사각형은 마주 보는 두 변의 길이가 같습니다.

10 답 4
직사각형은 마주 보는 두 변의 길이가 같습니다.

11 답 12
직사각형은 마주 보는 두 변의 길이가 같습니다.

12 답 16
직사각형은 마주 보는 두 변의 길이가 같습니다.

13 답 90
정사각형은 마름모의 성질을 모두 만족하므로 마주 보는 꼭짓점끼리 이은 선분이 서로 수직으로 만나고 이등분합니다.

14 답 5
정사각형은 마름모의 성질을 모두 만족하므로 마주 보는 꼭짓점끼리 이은 선분이 서로 수직으로 만나고 이등분합니다.

15 답 12
정사각형은 마름모의 성질을 모두 만족하므로 마주 보는 꼭짓점끼리 이은 선분이 서로 수직으로 만나고 이등분합니다.

16 답 90
정사각형은 마름모의 성질을 모두 만족하므로 마주 보는 꼭짓점끼리 이은 선분이 서로 수직으로 만나고 이등분합니다.

17 답 가, 나, 다, 라, 마, 바
평행한 변이 한 쌍이라도 있는 사각형은 **가, 나, 다, 라, 마, 바**입니다.

18 답 가, 라, 바
마주 보는 두 쌍의 변이 서로 평행한 사각형은 **가, 라, 바**입니다.

19 답 가, 바

평행사변형의 성질을 모두 만족하고 네 각이 모두 직각인 사각형은 **가**, **바**입니다.

20 답 바

네 변의 길이가 모두 같고 네 각이 모두 직각인 사각형은 **바**입니다.

21 답 16

정사각형은 네 변의 길이가 모두 같으므로 네 변의 길이의 합이 64 cm인 정사각형의 한 변의 길이는
$64\div4=16$(cm)입니다.

22 답 20

직사각형은 마주 보는 두 변의 길이가 같고
(가로와 세로의 합)$=90\div2=45$(cm)이므로 세로는
$45-25=20$(cm)입니다.

23 답 풀이 참조

조건을 만족하는 도형은 직사각형입니다.

예
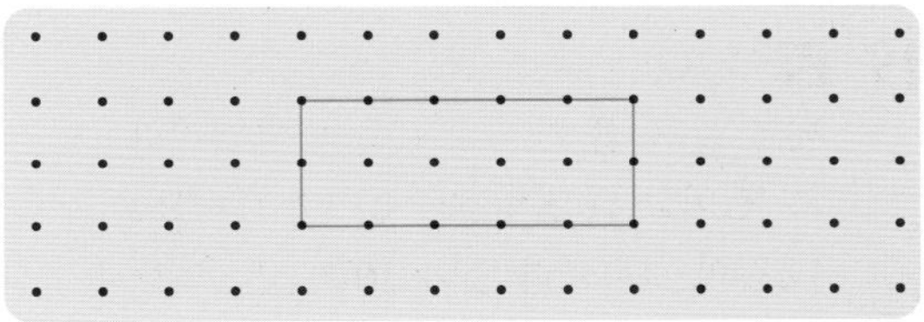

24 답 풀이 참조

조건을 만족하는 도형은 정사각형입니다.

예
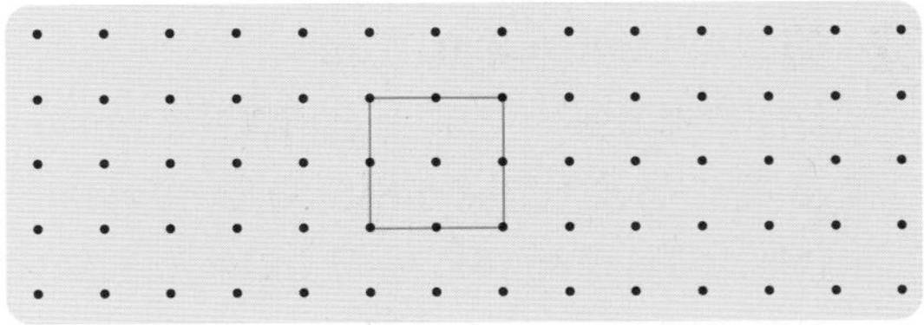

25 답 ㉠

직사각형에서 마주 보는 두 쌍의 변은 평행합니다.
따라서 사각형에 대한 설명으로 옳지 않은 것은 ㉠입니다.

26 답 ㉢

마름모는 네 각의 크기가 직각이 아닐 수도 있으므로 직사각형이라고 할 수 없습니다.
따라서 사각형에 대한 설명으로 옳지 않은 것은 ㉢입니다.

27 답 **사다리꼴, 평행사변형, 마름모, 직사각형, 정사각형**

같은 길이의 막대가 4개 있으므로 네 변의 길이가 모두 같은 사각형을 만들 수 있습니다.
따라서 만들 수 있는 사각형은 사다리꼴, 평행사변형, 마름모, 직사각형, 정사각형입니다.

28 답 **사다리꼴, 평행사변형, 직사각형**

같은 길이의 막대가 2개씩 있으므로 마주 보는 두 변의 길이가 같은 사각형을 만들 수 있습니다.
따라서 만들 수 있는 사각형은 사다리꼴, 평행사변형, 직사각형입니다.

p. 76

재미있게, 우리 연산하자!

[1] 예
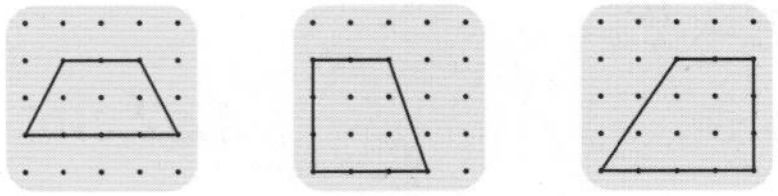

[2] 예
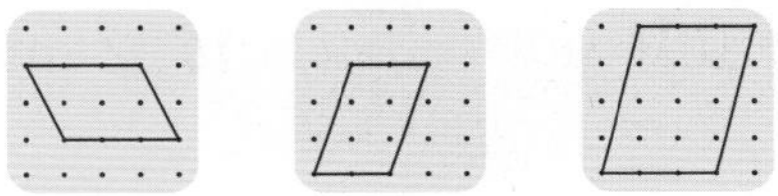

[3] 예
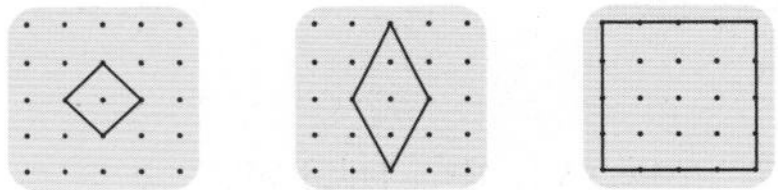

5 ::: 꺾은선그래프

17 꺾은선그래프 알아보기

p. 79~81

> 예제 따라 풀어보는 연산

01 12월 1일의 시간대별 기온
02 시각 **03** 1 **04** 6
05 월별 강수량 **06** 8
07 6 **08** 50

> 스스로 풀어보는 연산

09 가로: 연도, 세로: 적설량
10 적설량의 변화
11 2016년 **12** 2 cm
13 가로: 나이, 세로: 키 **14** 2 cm
15 9세와 10세 사이 **16** 22 cm

> 응용 연산

17 꺾은선그래프 **18** 2 ℃
19 12 ℃
20 예 • 두 그래프는 어느 마을의 월별 최고 기온을 나타냅니다.
• 가로는 월, 세로는 기온을 나타냅니다.
21 예 (나) 그래프에는 물결선이 있습니다.
22 (가): 1 cm, (나): 0.1 cm
23 (나) 그래프 **24** 1.4 cm

08 답 50
세로 눈금 한 칸은 10 mm를 나타냅니다. 7월의 강수량은 130 mm이고 6월의 강수량은 80 mm이므로 7월의 강수량은 6월의 강수량보다
130－80＝50(mm) 더 많습니다.

12 답 2 cm
세로 눈금 한 칸은 1 cm를 나타냅니다. 2017년의 적설량은 16 cm이고 2018년의 적설량은 14 cm이므로 2017년의 적설량은 2018년의 적설량보다
16－14＝2(cm) 더 많습니다.

14 답 2 cm
세로 눈금 5칸이 10 cm를 나타내므로 세로 눈금 한 칸은 10÷5＝2(cm)를 나타냅니다.

15 답 9세와 10세 사이
그래프 선의 기울기가 가장 많이 기울어진 때는 9세와 10세 사이입니다.

16 답 22 cm
7세 때 상원이의 키는 120 cm이고 11세 때 상원이의 키는 142 cm입니다. 따라서 4년 동안 자란 키는 142－120＝22(cm)입니다.

17 답 꺾은선그래프
꺾은선그래프는 점들을 선분으로 이어 그린 그래프이므로 기울어진 정도를 보면 기온의 변화를 쉽게 알아볼 수 있습니다.

18 답 2 ℃
세로 눈금 5칸이 10 ℃를 나타내므로 세로 눈금 한 칸은 10÷5＝2(℃)입니다.

19 답 12 ℃
세로 눈금 한 칸은 2 ℃를 나타냅니다. 9월의 기온은 22 ℃이고 10월의 기온은 10 ℃이므로 9월의 기온이 10월의 기온보다 22－10＝12(℃) 더 높습니다.

21 답 예 (나) 그래프에는 물결선이 있습니다.
(나) 그래프는 0과 20 사이에 물결선을 넣었습니다.

22 답 (가): 1 cm, (나): 0.1 cm
(가) 그래프에서 세로 눈금 5칸이 5 cm를 나타내므로 세로 눈금 한 칸은 5÷5＝1(cm)입니다.
(나) 그래프에서 세로 눈금 5칸이 0.5 cm를 나타내므로 세로 눈금 한 칸은 0.5÷5＝0.1(cm)입니다.

23 답 (나) 그래프
(나) 그래프는 필요 없는 부분을 물결선으로 나타내면서 세로 눈금 칸이 넓어져 식물의 키를 더 쉽게 읽을 수 있습니다.

24 답 1.4 cm
월요일에 식물의 키는 20.1 cm이고 일요일에 식물의 키는 21.5 cm입니다.
따라서 일주일 동안 식물은 21.5－20.1＝1.4(cm) 자랐습니다.

18 꺾은선그래프로 나타내기

p. 83~85

> 예제 따라 풀어보는 연산

01 풀이 참조 **02** 풀이 참조 **03** 풀이 참조
04 풀이 참조

> 스스로 풀어보는 연산

05 풀이 참조 **06** 풀이 참조 **07** 풀이 참조
08 풀이 참조

> 응용 연산

09 기온 **10** 1 ℃ **11** 풀이 참조
12 예 3 ℃ 보다 더 낮아질 것 같습니다.
13 예 0 kg과 35 kg 사이 **14** 풀이 참조

01 답 풀이 참조

해바라기의 키

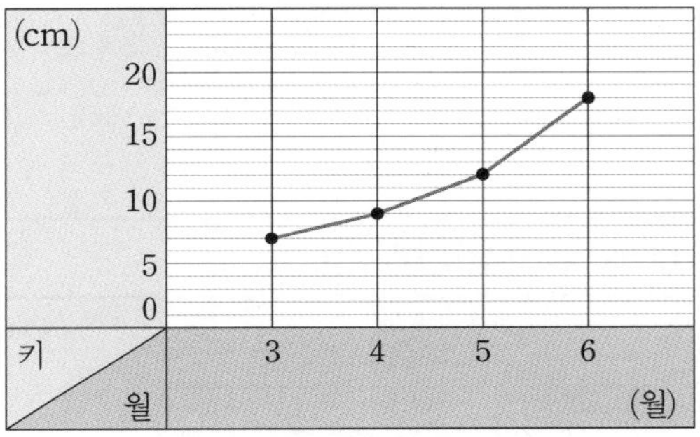

02 답 풀이 참조

아침 최저 기온

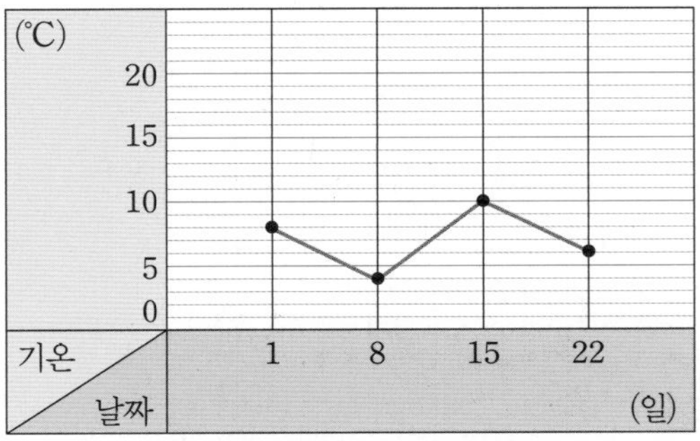

03 답 풀이 참조

자유형 기록

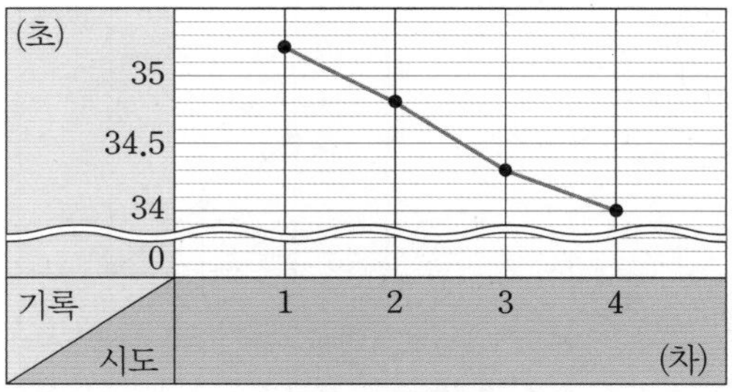

04 답 풀이 참조

은주의 몸무게

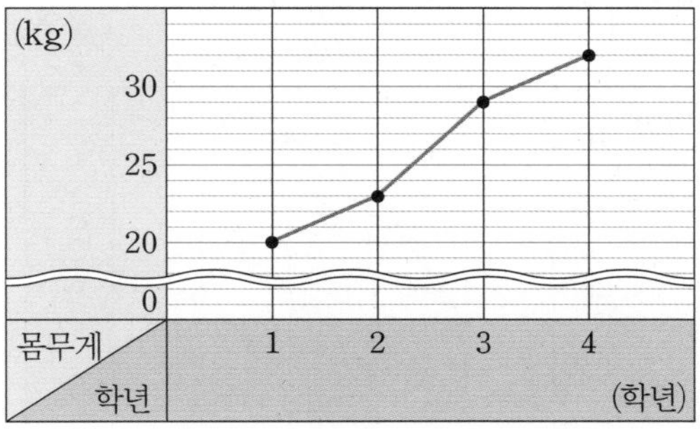

05 답 풀이 참조

해 뜨는 시각

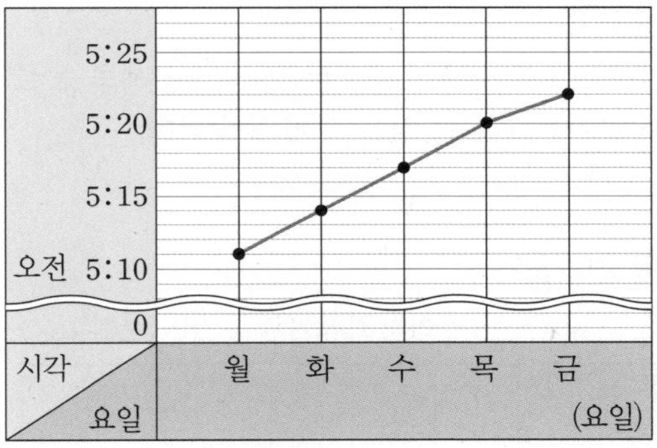

06 답 풀이 참조

해 지는 시각

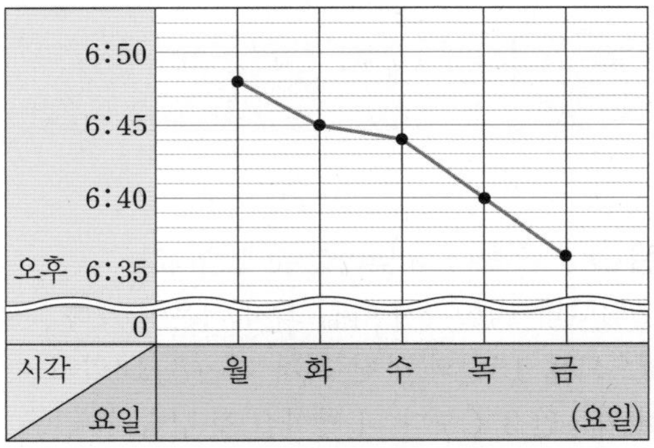

07 답 풀이 참조

영재의 체온

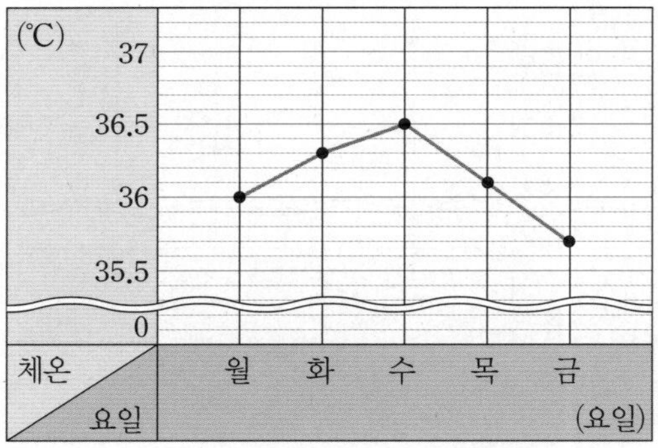

08 답 풀이 참조

월별 강수량

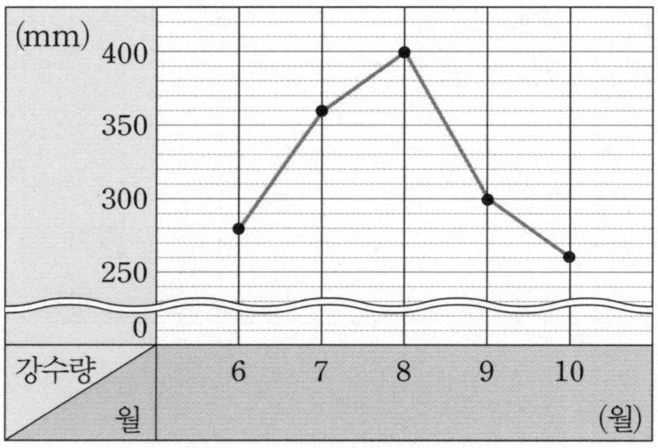

10 답 1 ℃

기온을 1 ℃ 단위로 조사하였으므로 세로 눈금 한 칸의 크기는 1 ℃로 하는 것이 좋습니다.

11 답 풀이 참조

아침 최저 기온

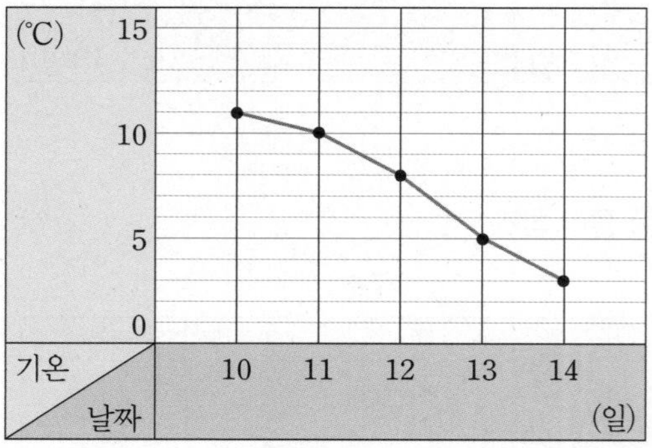

12 답 예 3 ℃ 보다 더 낮아질 것 같습니다.

10일부터 14일까지 아침 최저 기온이 계속 낮아지고 있으므로 15일의 아침 최저 기온은 14일의 아침 최저 기온인 3 ℃보다 더 낮아질 것 같습니다.

13 답 예 0 kg과 35 kg 사이

0 kg과 35 kg 사이에 자료의 값이 없으므로 0 kg과 35 kg 사이에 넣는 것이 좋습니다.

14 답 풀이 참조

진수의 몸무게

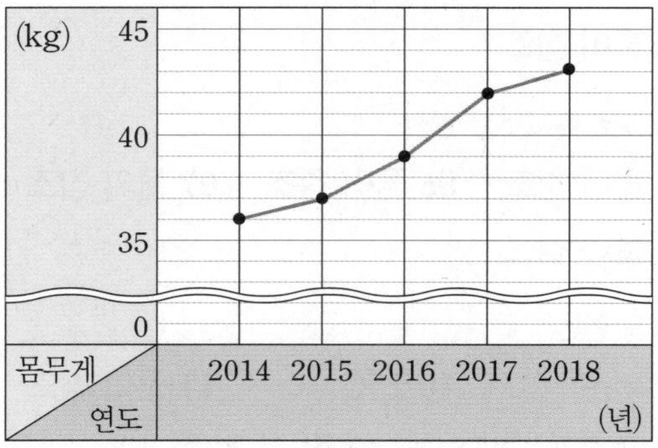

p. 86

재미있게, 우리 연산하자!

[1]

교실의 온도

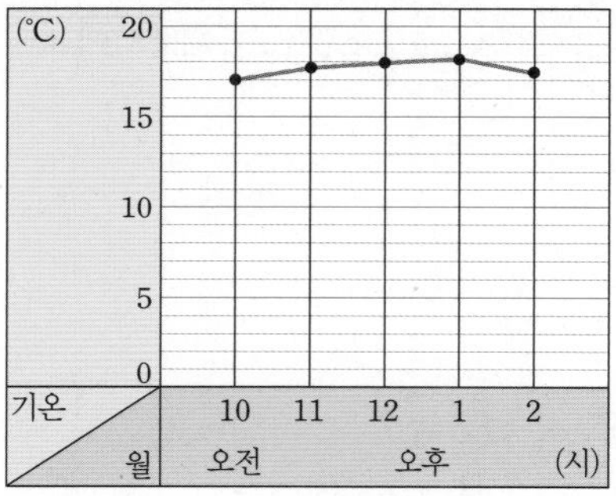

[2]

교실의 온도

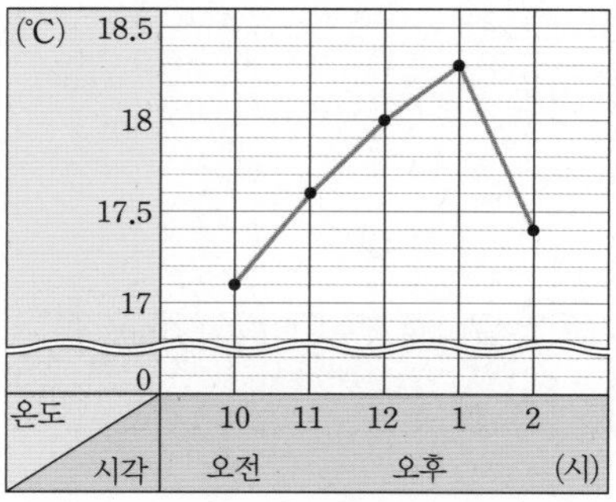

[3] 예 두 그래프 중에서 값을 읽기에 더 편한 그래프는 어느 것인가요?

6 ::: 다각형

19 다각형과 정다각형

p. 89~91

> 예제 따라 풀어보는 연산

01 ○	**02** ×	**03** ×
04 오각형	**05** 칠각형	**06** 사각형
07 육각형	**08** 135	

09 (왼쪽에서부터) 60, 60
10 (왼쪽에서부터) 90, 5
11 (왼쪽에서부터) 108, 6

> 스스로 풀어보는 연산

12 ○	**13** ×	**14** ×
15 ×	**16** 팔각형	**17** 오각형
18 팔각형	**19** 칠각형	**20** 108
21 8	**22** 120	**23** 3
24 135	**25** (위에서부터) 2.5, 140	

> 응용 연산

26 풀이 참조	**27** 풀이 참조	**28** 구각형
29 정오각형	**30** 66 cm	**31** 56 cm
32 22	**33** 16	

01 답 ○
선분으로만 둘러싸여 있으므로 다각형입니다.

02 답 ×
곡선이 포함된 도형이므로 다각형이 아닙니다.

03 답 ×
곡선이 포함된 도형이므로 다각형이 아닙니다.

08 답 135
정다각형은 변의 길이가 모두 같고, 각의 크기가 모두 같습니다.

09 답 (왼쪽에서부터) 60, 60
정다각형은 변의 길이가 모두 같고, 각의 크기가 모두 같습니다. 정삼각형의 한 각의 크기는 60°입니다.

10 답 (왼쪽에서부터) 90, 5
정다각형은 변의 길이가 모두 같고, 각의 크기가 모두 같습니다.

11 답 (왼쪽에서부터) 108, 6
정다각형은 변의 길이가 모두 같고, 각의 크기가 모두 같습니다.

12 답 ○
선분으로만 둘러싸여 있으므로 다각형입니다.

13 답 ×
선분으로 둘러싸이지 않고 열려 있으므로 다각형이 아닙니다.

14 답 ×
곡선으로만 둘러싸인 도형이므로 다각형이 아닙니다.

15 답 ×
곡선이 포함된 도형이므로 다각형이 아닙니다.

20 답 108
정다각형은 변의 길이가 모두 같고, 각의 크기가 모두 같습니다.

21 답 8
정다각형은 변의 길이가 모두 같고, 각의 크기가 모두 같습니다.

22 답 120
정다각형은 변의 길이가 모두 같고, 각의 크기가 모두 같습니다.

23 답 3
정다각형은 변의 길이가 모두 같고, 각의 크기가 모두 같습니다.

24 답 135

정다각형은 변의 길이가 모두 같고, 각의 크기가 모두 같습니다.

25 답 (위에서부터) 2.5, 140

정다각형은 변의 길이가 모두 같고, 각의 크기가 모두 같습니다.

26 답 풀이 참조

예

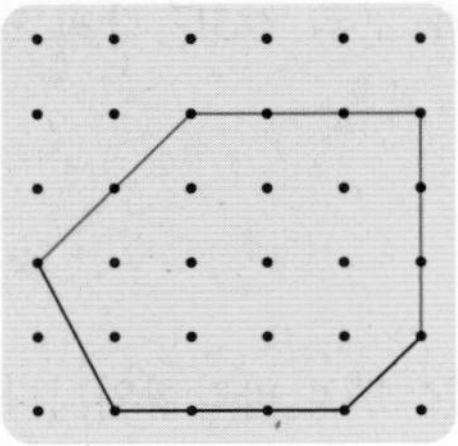

27 답 풀이 참조

예

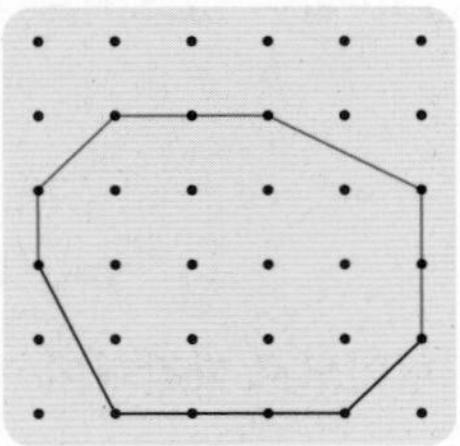

28 답 구각형

변이 9개이고 선분으로만 둘러싸인 도형은 구각형입니다.

29 답 정오각형

5개의 선분으로만 둘러싸인 도형은 오각형입니다. 오각형 중에서 변의 길이와 각의 크기가 모두 같은 도형은 정오각형입니다.

30 답 66 cm

정다각형은 변의 길이가 모두 같습니다. 주어진 도형은 변이 6개인 정육각형으로 모든 변의 길이의 합은 $11\times6=66$(cm)입니다.

31 답 56 cm

정다각형은 변의 길이가 모두 같습니다. 주어진 도형은 변이 7개인 정칠각형으로 모든 변의 길이의 합은 $8\times7=56$(cm)입니다.

32 답 22

한 변의 길이가 3 cm인 정오각형의 모든 변의 길이의 합은 $3\times5=$ [15] (cm)입니다.

42 cm인 줄을 모두 사용하여 만들 수 있는 가장 큰 정육각형의 한 변의 길이는 $42\div6=$ [7] (cm)입니다.

따라서 □ 안에 알맞은 수의 합은 $15+7=22$입니다.

33 답 16

정팔각형의 변의 개수는 [8] 개입니다.

정사각형의 한 변의 길이가 10 cm일 때 정사각형의 모든 변의 길이의 합은 $10\times4=40$(cm)입니다.

정사각형의 모든 변의 길이의 합과 정오각형의 모든 변의 길이의 합이 같으므로 정오각형의 한 변의 길이는 $40\div5=$ [8] (cm)입니다.

따라서 □ 안에 알맞은 수의 합은 $8+8=16$입니다.

20 대각선과 모양 채우기

p. 93~95

> 예제 따라 풀어보는 연산

01 풀이 참조 **02** 풀이 참조 **03** 풀이 참조
04 풀이 참조 **05** 풀이 참조 **06** 풀이 참조
07 정삼각형, 정육각형
08 정삼각형, 정사각형, 사다리꼴
09 정삼각형, 정육각형, 사다리꼴

> 스스로 풀어보는 연산

10 풀이 참조 **11** 풀이 참조 **12** 풀이 참조
13 풀이 참조 **14** 풀이 참조 **15** 풀이 참조
16 풀이 참조 **17** 풀이 참조
18 정삼각형, 정육각형, 사다리꼴
19 정삼각형, 정사각형, 정육각형, 평행사변형, 마름모, 사다리꼴
20 정삼각형, 정사각형, 정육각형, 평행사변형, 마름모
21 정삼각형, 정사각형, 정육각형, 평행사변형, 마름모, 사다리꼴

> 응용 연산

22 ㉠ **23** ㉡ **24** 마, 바
25 가, 마 **26** 지윤 **27** 민경
28 풀이 참조 **29** 풀이 참조

01 답 풀이 참조

예

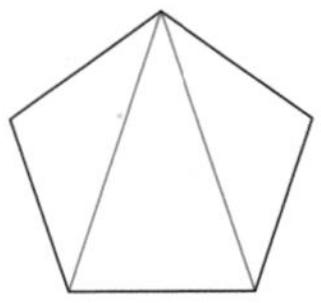

02 답 풀이 참조

예

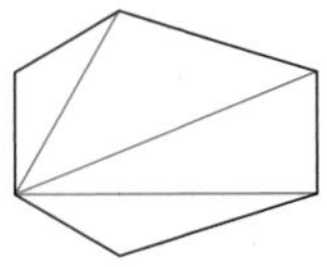

03 답 풀이 참조

예

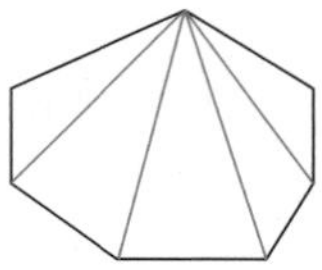

04 답 풀이 참조

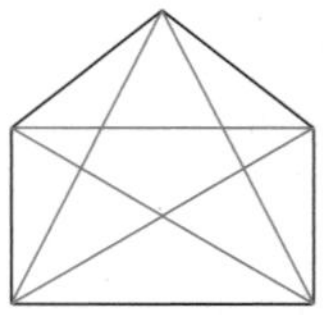

⇨ 5개

05 답 풀이 참조

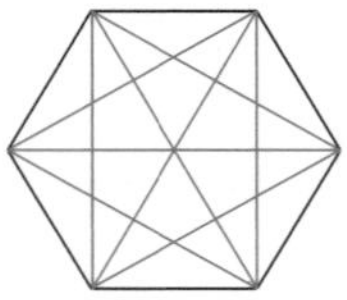

⇨ 9개

06 답 풀이 참조

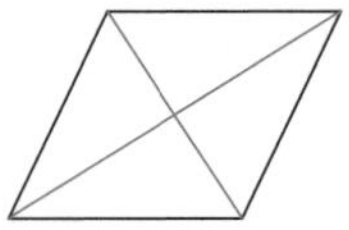

⇨ 2개

10 답 풀이 참조

예

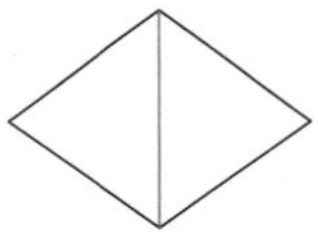

11 답 풀이 참조

예

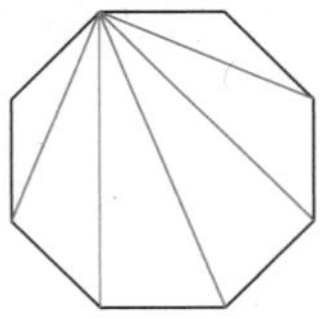

12 답 풀이 참조

예

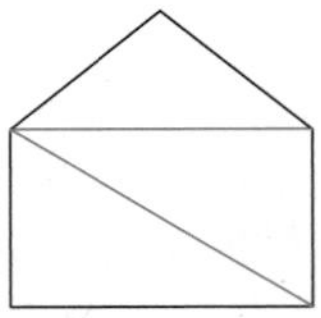

13 답 풀이 참조

예

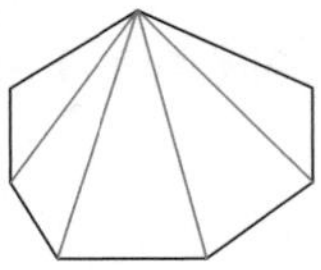

14 답 풀이 참조

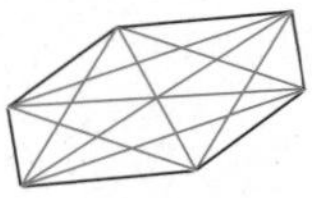

⇨ 9개

15 답 풀이 참조

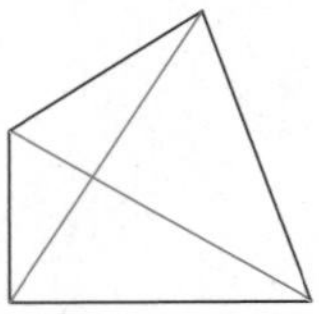

⇨ 2개

16 답 풀이 참조

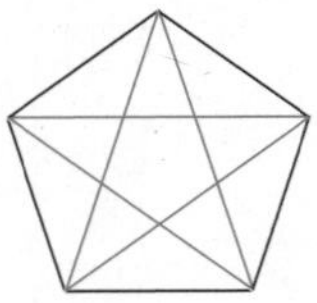

⇨ 5개

17 답 풀이 참조

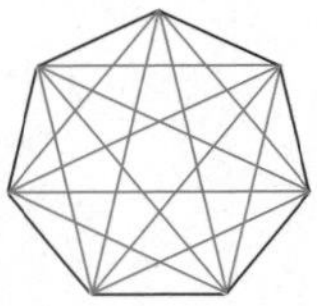

⇨ 14개

22 답 ㉠

대각선은 서로 이웃하지 않는 두 꼭짓점을 이은 선분입니다.
따라서 도형에 대각선을 바르게 나타낸 것은 ㉠입니다.

23 답 ㉡

대각선은 서로 이웃하지 않는 두 꼭짓점을 이은 선분입니다.
따라서 도형에 대각선을 바르게 나타낸 것은 ㉡입니다.

24 답 마, 바

두 대각선이 서로 수직으로 만나는 도형은 정사각형, 마름모입니다.

25 답 가, 마

두 대각선의 길이가 같은 사각형은 직사각형, 정사각형입니다.

26 답 지윤

삼각형은 모든 꼭짓점이 서로 이웃하고 있으므로 대각선을 그을 수 없습니다.
따라서 잘못 설명한 친구는 지윤입니다.

27 답 민경

변이 6개인 다각형은 육각형입니다. 육각형에는 대각선을 9개 그을 수 있습니다.
따라서 잘못 설명한 친구는 민경입니다.

28 답 풀이 참조

예

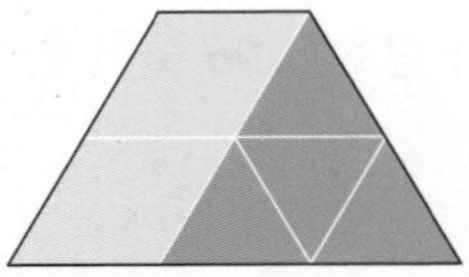

29 답 풀이 참조

예

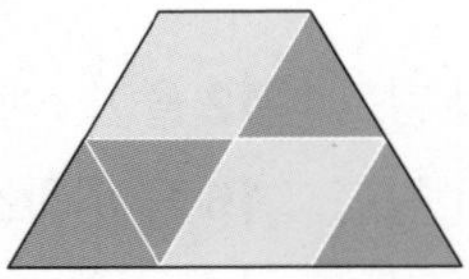

p. 96

재미있게, 우리 연산하자!